Na

Confrontando

LOS DESAFÍOS

De La Vida

PUBLICACIONES MARANATHA
4301 W. Diversey Avenue
Chicago, IL 60639

A menos que se indique lo contrario, todas las Citas Bíblicas fueron tomadas de la Santa Biblia, Reina Valera, Revisión 1960.

Confrontando Los Desafíos De La Vida
Publicado por:
Publicaciones Maranatha
4301 W. Diversey Avenue
Chicago, IL 60639 U.S.A.
www.maranathachicago.com
(773) 384-7717
ISBN 1-930115-00-8

La Portada diseñada por Rogelio Guzmán

El Libro Producido por DB & Associates Design Group, Inc.
dba Double Blessing Productions
P.O. Box 52756, Tulsa, OK 74152
www.doubleblessing.com

Impreso en los Estados Unidos de América

Contenido

Confrontando
LOS DESAFÍOS
De La Vida

Introducción

Este libro es resultado de la experiencia de mi vida y de lo que he observado en otras personas. Desde que el día 5 de abril de 1946 cuando nací de píe, sin la ayuda de un médico o una partera, en un barrio de Naguabo, Puerto Rico; mi vida ha sido una serie de desafíos, que han sido los que me han promovido para llegar al lugar donde hoy estoy. Nadie crea que estas promociones han sido fáciles, o libres de obstáculos. Los desafíos a los cuales me he enfrentado me dieron la opción de ser un perdedor y un mediocre en la carrera de la vida; o de ser un optimista luchador que sabe que para aquellos que *aman a Dios, todas las cosas les ayudan a bien, esto es, a los que conforme a su propósito son llamados* (Romanos 8:28).

Observando cómo tantas personas nunca alcanzan su destino profético en Dios, fui movido a escribir un libro sencillo de leer, que a la misma vez pueda ser de inspiración y motivación para aquellos que quieren romper el ciclo de derrota, atraso y pobreza en su vida. Me indigna el hecho de que personas que son esencialmente buenas no puedan salir del ciclo vicioso de derrota tras derrota. Cada uno de nosotros somos desafiados constantemente por la vida, las circunstancias y Satanás. Es mi deseo y oración al escribir este inspirado libro, que algo suceda en tu espíritu que te mueva a tomar acciones de fe, que te exalten al lugar de éxito que Dios destinó para ti desde antes de la fundación del mundo.

No es mi intención convencer a aquel que sigue creyendo que la tierra es plana aunque se ha probado que es redonda. Me sorprende que aun muchos cristianos gastan más tiempo tratando de justificar por qué la Palabra de Dios no funciona en sus vidas; en lugar de tener sus mentes y corazones abiertos y receptivos como una esponja, para recibir las promesas de Dios. Este no es un libro de doctrina como otros que he escrito (ejemplo, **Las Riquezas de Su Gracia),** es un libro de principios prácticos que puede cambiar la situación de cualquier persona que se está enfrentando a diferentes desafíos en su vida. Así que amigo y hermano, es tiempo de levantarte de la auto-conmiseración y de todo complejo de inferioridad que has heredado o has adquirido, y de empezar a enfrentar los desafíos de la vida. Comienza hoy porque mañana puede ser muy tarde.

Julio 20 de 1999
Chicago, Illinois

Capítulo 1
¿POR QUÉ VIENEN LOS DESAFÍOS?

"Quiero que sepáis, hermanos que las cosas que me han sucedido, han redundado más bien para el progreso del evangelio."

Filipenses 1:12

No es secreto que todos los seres humanos quisiéramos vivir en una dimensión de vida donde no hubiera problemas, donde nunca sintiéramos resistencia, y donde fuera fácil la adquisición de las cosas que deseamos y soñamos. La realidad es que mientras vivamos en este planeta tierra, seremos confrontados con un sinnúmero de problemas y desafíos, que aparentemente solamente vienen para hacernos la vida imposible.

Muchas personas no entienden que la ley de la vida es una constante lucha para sobrevivir, vencer, conquistar, poseer y alcanzar el éxito y el progreso que es parte del deseo de todo ser humano. Si no entendemos el porqué de los desafíos en la vida, pasarán tres cosas: (1) seremos vencidos por ellos, (2) nunca disfrutaremos el sabor de haber conquistado los obstáculos, y (3) no tendremos la motivación y la inspiración para usar los mismos como instrumentos de éxito y progreso.

Míralos con la Perspectiva Correcta.

La vida está llena de desafíos aun desde antes del momento de la concepción en el vientre. Nacer es un desafío, conlleva sobrevivir a un nuevo ambiente, que en muchas ocasiones es hostil a la nueva persona que nace en este mundo. Alguien dijo que si sobrevivimos a tantas circunstancias adversas que se oponían a que saliéramos del vientre con vida; ¿por qué entonces acobardarnos ante los desafíos que la vida nos presenta? Todo ser humano ha nacido con los recursos necesarios dados por Dios para poder ser más que vencedor en todas las cosas. No olvidemos que el espíritu de vida que hay en el ser humano proviene de Dios; y por lo tanto tiene parte de la naturaleza, fe y poder del Creador del Universo.

Quieras o no, te vas a enfrentar a diferentes desafíos por el resto de tu vida. Puedes hacer una de dos: dejarte llevar por la corriente de los problemas que te llegan, asumiendo una actitud fatalista; o puedes aprender a usar los desafíos como plataformas de lanzamiento, para llegar al lugar que siempre has anhelado conquistar. La diferencia entre los que triunfan y los que viven en fracaso estriba, no en la ausencia de desafíos, sino en la habilidad para mirar los desafíos con la perspectiva correcta. En sí lo que nos derrota en la vida, no son ni los desafíos ni los problemas, sino la actitud que manifestamos ante los mismos.

Una vez le escuché una frase a un predicador que no he podido olvidar. La frase **"tu actitud determina tu altitud"** es un tesoro de sabiduría que nos explica el porqué muchas personas nunca se levantan de su lugar de fracaso. Ya dije que para conquistar los desafíos hay que tener la perspectiva correcta, o podríamos decir la actitud correcta. La actitud que uno asume ante los desafíos es lo que lo deprime y derrota a uno, o lo que reta a uno a salir de la mediocridad, y aprender a matar gigantes que nunca había enfrentado antes.

Tu Visión Siempre es Desafiada.

Me he dado cuenta que la gente que no tiene sueños y visiones para lograr algo mejor, no se encuentra con muchos desafíos en la vida. La razón de esto es que si no hay metas por alcanzar, tampoco hay obstáculos que saltar. La gente pasiva, negativa, y perezosa se acomodan a las circunstancias tales como son, y no tienen la etamina para pelear, conquistar y llegar a poseer lo que buscan aquellos que tienen una visión de progreso. Hombres y mujeres de visión saben que en el momento que se embarcan en un curso de acción para lograr algo, con lo primero que tienen que lidiar es con los diferentes desafíos que la vida, las circunstancias, y Satanás les pone al frente.

Nadie puede progresar a menos que tenga una visión o un sueño de realizar algo que nunca había realizado. La misma Biblia nos dice que donde no hay visión el pueblo perece. Esto no indica necesariamente que donde no hay visión la gente deja de existir como seres vivientes; esto más que otra cosa significa, que donde no hay visión la persona vive igual que si nunca hubiera nacido. Muéstrame una persona de visión y encontrarás una persona que vive su vida al máximo. Cada día se levanta de su lecho con una nueva expectativa de lograr algo nuevo. La vida de un visionario no puede ser pasiva, porque la visión que lleva adentro es como un dínamo de energía que lo mueve a descubrir nuevos horizontes con nuevas oportunidades.

No creo que los desafíos llegan necesariamente en contra de una persona; los desafíos vienen en contra del sueño y la visión que tiene la persona. Podemos decir que los desafíos vienen para abortar la visión antes que nazca. Así que si te sientes desafiado con obstáculos y problemas, dale la gloria a Dios, que eres una persona de sueños y visiones. Nunca pienses que tú eres el único que se enfrenta a tales retos y problemas. Todos los que hoy han llegado a una posición de prominencia en el ámbito natural o en al ámbito espiritual, tuvieron que primero vencer desafíos que a primera vista parecían inconquistables. Cada vez que siento desafíos a lo que quiero lograr, me siento que soy tan importante como Abraham, Moisés, o Pablo; quienes vencieron en la vida a pesar de que nadie pensaba que podrían hacerlo.

Los Desafíos Sacan lo Mejor de Ti.

La actitud que tú tengas hacia los desafíos de la vida es lo que va a determinar tu progreso o tu fracaso. Toma hoy una determinación de que cada desafío que te llegue lo que haga es sacar lo mejor de ti. Dentro de cada persona hay un sinnúmero de recursos que ni la misma persona está consciente que están ahí. Muchas veces no somos conscientes de lo que somos capaces hasta que nos enfrentamos a un reto, que requiere que hagamos cosas que nunca hubiéramos ni intentado en otras situaciones. ¿Cómo se puede explicar que una sola persona ha sido capaz de levantar un automóvil cuando vio que un ser querido había quedado pillado por el mismo? ¿De dónde sacó fuerzas una pequeña mujer cuando tuvo que enfrentarse a un hombre que es el doble de su peso, para defender a uno de sus pequeños?

Esto nos prueba sin lugar a dudas que dentro del ser humano hay recursos y energías, que están en un estado durmiente hasta que aparece la situación crítica que lo conduce a actuar en una forma que nunca hubiera actuado en situaciones normales. Por eso es que la gente que siempre se está enfrentando a desafíos, son más propensos al éxito que aquellas que reciben todo fácil como en bandeja de plata. Esto es una lección que deberían aprender los padres que creen que proveyéndole todo a los hijos, sin ningún esfuerzo de la parte de ellos, los va a ayudar a ser mejores personas. Creo que en la mayor parte de las ocasiones lo contrario es lo cierto.

Si hay algo que aprendí desde que era niño es como los desafíos nos ayudan a desarrollar carácter, y nos llevan a desarrollar una fe fuerte y atrevida. Creo que el carácter de hombre fuerte y terco que tengo para enfrentarme a las distintas circunstancias de la vida, lo desarrollé como consecuencia de mis luchas desde niño con un grave problema del habla. Claro está, que cuando yo estaba pasando por esa situación nunca pensé que eso obraría para bien en mi formación como individuo. Recuerdo que otros que estudiaron conmigo, y quizás tenían más habilidades innatas que yo, no han llegado a lograr ni un diez por ciento de lo que por la gracia de Dios he logrado.

Y esto que he dicho no es solo mi experiencia. Cada persona que nació con una desventaja física, o que perdió alguna de sus extremidades en un accidente, ha tenido que hacer un esfuerzo doble para sobreponerse a lo que otra gente considera que es una desventaja. He observado muchas veces cómo muchas de estas personas terminan siendo más útiles a la sociedad que otras personas que consideramos normales. Consideremos el hecho de la persona que perdió sus dos manos, y aprendió a dibujar a perfección agarrando el lápiz con la boca. Otro ejemplo es el caso del ciego, que ha desarrollado el sentido del tacto para compensar por la pérdida de su visión.

Posiblemente el 95 por ciento de los lectores de este libro no caen en la categoría de lo que acabo de mencionar anteriormente. Pero en una forma u otra nos encontraremos en la vida con otros desafíos, que pueden ser la causa de amargarte y fracasarte; o pueden ser la causa de sacar de tu espíritu los recursos que te van a ayudar, no solo a lograr un triunfo más, sino a ser una mejor persona. Recuerda el dicho: "Si la vida te da un limón, puedes usarlo para hacer limonada". Así mismo, las situaciones que a veces creemos que son una maldición se convierten eventualmente en una bendición. José, el personaje bíblico que fue vendido por sus hermanos, aprendió esta lección. Después que en Egipto él se reveló a sus hermanos, José le dijo a ellos: *"Vosotros pensasteis mal contra mí, mas Dios lo encaminó a bien, para hacer lo que vemos hoy, para mantener con vida a mucho pueblo"* (Génesis 50:20).

¿Cómo Ser Elevado a una Dimensión Más Alta?

José nunca pensó cuando estaba en la cisterna, o cuando iba de camino a Egipto vendido como un esclavo, que ese era el medio que la Providencia Divina estaba usando para eventualmente promoverlo a un lugar de gran estatura política, social y económica. Creo que lo que ayudó más que nada a José, es que nunca registra la Biblia que él permitió que las circunstancias de los desafíos del momento lo amargaran o lo paralizaran. La gente que se amarga por las circunstancias es la gente que se paraliza y nunca puede salir de las mismas. Fue esta actitud positiva lo que hizo que en todo lugar donde José llegó, no pasó mucho tiempo sin que él fuera la cabeza y no la cola.

Cuando José estaba sirviendo en la casa de Potifar, o pasando tiempo en la cárcel por un crimen que nunca cometió, ¿le vino al pensamiento que algún día él seria el segundo en autoridad en el mismo gobierno que lo mandó a la cárcel? Lo que más me inspira de José es que usó ese tiempo para aprender a servir, y desarrollar el carácter que nunca hubiera desarrollado como el niño mimado de la casa de Jacob. ¿Qué hacemos la mayoría de nosotros en situaciones semejantes? Primero, nos rebelamos contra Dios y lo acusamos de ser injusto porque permite que tal cosa que no esperábamos nos acontezca. Lo próximo que hacemos es caer en la depresión, la inactividad y en un estado de amargura que nos impide ver la luz al final del túnel.

No evadas los desafíos, porque es muy posible que dentro de ellos está la semilla de tu mejor cosecha. Nunca te dejes frustrar porque no puedes vencer el desafío del primer golpe. Es muy probable que el resultado de la solución a tu desafió sea lo que, no solo va a cambiar tu situación personal, sino la de muchas otras personas. Como resultado de la actitud de José, él pudo ser el instrumento de Dios para darle preservación de vida a toda una nación. Por eso creo tan firmemente en la aseveración bíblica que *todas las cosas obran para el bien de aquellos que aman a Dios, aquellos que conforme a su propósito son llamados* (Romanos 8:28). Entonces no ganamos nada con combatir o evadir lo mismo que nos puede un día promover. Hay un lugar más alto para aquellos que como el águila usan el desafío de la tormenta para remontarse a un lugar más alto y más excitante.

Desafíos Dan Lugar a Milagros.

He aprendido en mi vida que el mejor semillero para los milagros son los desafíos. Casi nunca los milagros ocurren cuando las cosas son normales o cuando la vida sigue su curso común. Hay algo sobre los desafíos que casi nos obliga a creer en milagros, aun para aquellos que no están muy cerca de Dios. Es cierto que los milagros son hechos por Dios, pero también es cierto que siempre Dios requiere de un ser humano que los active. El corazón de la persona que se encuentra en una situación desesperada como resultado de un reto, es buen terreno para que la fe se manifieste.

Muchos milagros en la Biblia son resultado de un desafío que era tan grande para un individuo que tuvo que creerle a Dios con todo lo que tenía para que Dios lo ayudara a salir del aprieto. El desafío del Mar Rojo movió a Moisés a clamar a Dios, y terminó abriendo el mar como uno de los milagros más grandes de la historia de la raza humana. El desafío de un gigante que amenazaba la existencia de Israel como nación, movió a un jovenzuelo (David) a atreverse a intentar lo que los expertos generales del ejército de Saúl no creían que era posible. El desafío de alimentar 5000 mil personas con unos pocos pececillos y panes le dio la oportunidad a Jesús de demostrar que mientras más grande es el desafío más grande puede ser el milagro.

Aunque no voy a usar la palabra "milagro" para referirme a los grandes inventos que nos han hecho la vida más fácil y llevadera; los que fueron instrumentos para estos inventos tuvieron que enfrentarse a la burla de la gente, a los continuos fracasos, y a los tiempos de dudas cuando por poco tiran la toalla. Gracias a Dios que Alba Edison no se rindió porque en los primeros intentos no pudo inventar la bombilla eléctrica. La historia fuera un poco diferente si Cristóbal Colón hubiera permitido que la oposición de su propia nación hubiera impedido que él descubriera un nuevo continente. Estoy seguro que el primero que se atrevió decir que algún día el hombre viajaría por el aire, fue el hazme reír de todos.

Desafíos Traen Progreso a tu Vida.

Puedo atreverme a decir que sin desafíos no hay progreso. Esto no solo es cierto en el área natural, sino también en el área espiritual. Ya he mencionado diferentes personajes que se enfrentaron a tremendos desafíos, y vencieron a pesar de que quizás la mayoría no pensaba que podían hacerlo, y en algunos casos hasta trataron de desanimarlos.

Hay un común denominador en estas personas. Todas estuvieron determinadas a ganar a todo costo, y siempre vieron lo que había más allá del desafío. David sabía que además de ayudar a la causa nacional de su país, el rey le daría su hija por mujer, y la hacienda de sus padres estaría libre de impuestos. Aunque José no lo sabía, terminó sentado en el trono de Egipto como el segundo en mando, con la libertad de sostener y proteger a los mismos hermanos que un día lo vendieron porque envidiaban sus sueños.

Enfréntate a los desafíos con la actitud correcta. Piensa que los desafíos, no solo son para hacerte la vida imposible, y empujarte a sacar recursos de tu interior que tú ni sabías que los tenías; sino que son el elevador para llevarte a un nivel de progreso que antes era solo un sueño. Es más fácil entonces enfrentarte a los desafíos cuando sabes que hay una recompensa por no dejarte rajar.

Aun el mismo Jesús, la Biblia nos dice, que una de las razones por las cuales aceptó el desafío de morir en la cruz y derramar su última gota de sangre; fue por el gozo puesto delante de Él (Hebreos 12:2). ¿Cuál fue ese gozo que llevó a Jesús a sufrir tal contradicción de pecadores, y nunca se amargó ni se turbó? Fue el gozo de que algún día Jesús tendría millones de seguidores que proclamarían su nombre y su bondad por toda una eternidad, como resultado de El aceptar el desafío de la cruz,

Creo que he sido bastante claro en contestar la pregunta ¿por qué vienen los desafíos en la vida? Vienen para retar tu visión y tratar de hacerte desistir de tus metas de progreso; pero más importante que esto, hay que ver cómo los desafíos se convierten en instrumentos de bendición y promoción. Los desafíos sacan lo mejor de ti cuando no te dejas amargar por ellos, y te pueden elevar a una posición más alta en la vida si tú lo permites.

Otra bendición de los desafíos es que dan lugar a grandes milagros, y es después que has pasado el tiempo de luchas contra el desafío que tu vida alcanza un nivel de progreso, que nunca hubiera sido posible si te hubieras negado a aceptar los retos difíciles y casi imposibles que las circunstancias de la vida siempre traen.

¿Quieres saber cómo enfrentarte a los desafíos que vendrán por el resto de tu vida? ¿Será posible que cualquier persona normal como yo pueda enfrentarse a cualquier desafío y vencer como lo hizo José, Moisés, David, y el mismo Señor Jesús? El capítulo próximo va a tratar con uno de los aspectos más importantes que te podrá ayudar a enfrentarte a cada desafío y siempre salir ganando. Y no olvides que todo en la vida es un desafío; por eso yo te desafío a que sigas leyendo el resto de este libro, para que alcances a ver el panorama completo de los principios que el Espíritu Santo me dio para compartir contigo.

Capítulo 2
UNA ACTITUD MENTAL POSITIVA

"Por lo demás, hermanos, todo lo que es verdadero, todo lo honesto, todo lo justo, todo lo puro, todo lo amable, todo lo que es de buen nombre; si hay virtud alguna, si algo digno de alabanza, en esto pensad."

Filipenses 4:8

Proverbios, el libro de la sabiduría nos dice que *como el hombre piensa en su corazón, así es él.* No hay nada que afecte más al desarrollo de un individuo que ser esclavo de una constante actitud mental negativa. El negativismo está tan arraigado en la mente de algunas personas de tal modo que controla todos los movimientos y decisiones desde que se levantan hasta que van a la cama. Es tan fuerte el negativismo en otros, que cuando les sucede algo de carácter positivo, se asustan porque creen que es la antesala de una cercana tragedia. Otros son tan negativos en la percepción de la vida, que no pueden creer que son merecedores de que algo bueno les suceda en el curso normal de su existencia.

Me acuerdo del cartero que vino al apartamento donde yo vivía en la ciudad de Chicago, y mientras me entregaba la correspondencia del día, le di las gracias a la misma vez que lo traté con respeto usando la palabra "Sir" (Señor). ¡Cuál fue mi sorpresa!, que el hombre me contestó indignado: "No me llame Señor, yo solo soy una persona que trabajo tratando de ganarme la vida". Este es un ejemplo del negativismo que impera en tanta gente en nuestra sociedad, lo que los mantiene siempre llenos de frustración y complejos.

Si vamos a ser efectivos confrontando los desafíos de la vida, lo primero que tenemos que hacer es cambiar de actitud. Una actitud negativa derrota al individuo antes que empiece la batalla. ¿No te has encontrado con personas que no importa cuantas soluciones tú les sugieres para su problema; siempre ellos hallan un argumento en su mente negativa para decir que no se puede? A menos que haya primero un cambio de esa actitud negativa, ni te atrevas a tratar de enfrentar los desafíos que la vida te presenta. El primer paso para confrontar los desafíos de tu vida es mantener a todo costo una actitud positiva en todo momento. Si primero no ganas la batalla en tu mente, olvídate de ganarla afuera. Como el hombre piensa en su corazón no solo así es él, así también él actúa, y se enfrenta a los problemas del diario vivir.

Tu mente, la Puerta a tu Espíritu

El ser humano es un ser tri-partita; esto es, el hombre es un ser compuesto de tres partes: espíritu, alma y cuerpo. Podemos decir que el espíritu es el principio de vida en el hombre, el alma es la personalidad con la cual él expresa esa vida, y el cuerpo es el vehículo en el cual el hombre mueve su espíritu y su alma mientras vive en la tierra. Es dentro del espíritu del ser humano donde residen aquellos recursos que son propios de una creación especial de Dios como lo es el hombre. Tenemos que admitir que aun en el espíritu del hombre no salvo queda un tremendo depósito de la habilidad creativa de Dios. Esto es lo que explica, porque aunque la gente esté en rebeldía contra el gobierno de Dios, aun así pueden operar en su energía creativa. ¡Imagínate de lo que somos capaces los que hemos nacido de nuevo por medio del Espíritu de Dios, y somos participantes de la vida de resurrección de Jesús!

¿Por qué he tomado este tiempo para definir lo que es el hombre? ¿Qué tiene que ver esto con vencer desafíos? Todo lo que entra al espíritu del hombre entra por medio de la mente, y todo lo que sale del espíritu, sale por medio de las palabras que hablamos. Sería correcto decir que la mente es la puerta al espíritu. Lo que el hombre piensa constantemente tarde que temprano afecta lo que sucede en su espíritu. Lo que piensa puede hacer una de dos; activar la energía creativa de su espíritu, o neutralizarla y encarcelarla, de modo que no pueda salir por medio de la confesión de la boca.

No se equivocó Salomón cuando dijo que como el hombre piensa en su corazón así es él. Desarrolla una actitud mental positiva para que actives tu espíritu, para que el poder creativo de Dios te arme para conquistar los desafíos de la vida. Es obvio que una mente negativa da lugar a una confesión negativa. Con razón también dijo Salomón que de toda cosa guardada guarda tu corazón porque de él mana la vida. No dañes tu corazón (tu espíritu) con pensamientos y palabras negativas. Siempre piensa en todo lo bueno, todo lo justo, todo lo que es noble, y todo lo que contribuye a la santidad, a la salud, a la prosperidad y a la victoria. Cuida la puerta de tu espíritu y vigila todo lo que entra en tu corazón, porque de cierto que todo lo que entra es lo que sale, porque de la abundancia del corazón habla la boca.

El Negativismo Paraliza tu Creatividad.

Es una realidad que no podemos ignorar que gente positiva es gente creativa, pero gente negativa es gente atrasada y postergada. Es más fácil echarle la culpa de tu fracaso al sistema, a la gente que te rodea, a tu medio ambiente, a tu pasado ancestral, y hasta a Satanás; que admitir que tu fracaso es el fruto de una mentalidad retrasada y negativa. Es de notar que la persona negativa vive amargada, siempre está a la defensiva, y nunca acepta la responsabilidad por el estado en el cual vive. Lo único que crea una persona negativa es un mundo negativo, donde todas las cosas son imposibles. El negativo te dará mil razones por las cuales él nunca podrá vencer sus desafíos.

En el momento que uno pronuncia esas palabras de maldición y derrota: "No puedo", todos los componentes de nuestro ser se ponen de acuerdo con esa confesión. El espíritu se paraliza y se niega a proveer la energía creativa; que es tan necesaria para que el cuerpo se sienta fuerte y motivado para actuar. En cambio, para el que tiene una mentalidad positiva y se atreve a confesar que *"para el que cree todas las cosas son posibles"*, siempre encuentra una solución viable para resolver problemas y confrontar los desafíos de la vida.

Pocas cosas levantan mi indignación, como ver a una persona que tiene un alto grado de inteligencia derrotada por la falta de operar en un espíritu creativo. Otros que quizás no fueron dotados de una mente tan inteligente, han hecho hazañas porque aprendieron el secreto de desatar el poder creativo que Dios les dio. ¿Qué es lo que derrota a la gente cuando se enfrenta a los desafíos del diario vivir? No son los desafíos lo que nos derrotan, sino la forma cómo los miramos y reaccionamos ante ellos. ¿Cómo uno sabe que opera en poder creativo? Cuando uno desafía los desafíos, y permite que los desafíos desaten en uno la energía creativa de Dios.

Llena tu Mente con la Palabra.

La mejor fuente para encontrar recursos positivos para entrenar tu mente y tu espíritu para la victoria es la Palabra de Dios. No hay otro libro en la literatura del mundo que pueda competir con la Biblia como el mejor libro de texto para desarrollar una mentalidad positiva. Aunque respeto y he estudiado docenas de libros que hablan de pensamiento y actitud positiva; los consejos de la Biblia siguen estando al día, aunque fueron escritos miles de años atrás. La Biblia, no solo debe ser un adorno en los estantes de nuestras bibliotecas, la Biblia debe ser el libro de referencia diario al cual acudimos para encontrar la solución a todos los problemas y desafíos de la vida.

Algo que me impresiona de la Biblia es que nos presenta sus personajes en toda su humanidad, nunca esconde sus defectos, y siempre nos deja ver que si ellos pudieron enfrentarse a tremendos desafíos con la ayuda de Dios y vencieron; entonces nosotros podemos hacer lo mismo, porque Dios sigue siendo hoy el mismo que fue ayer. ¿No te arde el corazón cuando te encuentras con Moisés parado ante el terrible desafío del Mar Rojo al frente, y a Faraón y a su ejército pisando sus talones? ¿No te motiva a matar gigantes cuando hablas con David y lo oyes tan determinado diciendo con plena confianza; que si Dios le dio la victoria contra el oso y el león, Dios también le entregará en sus manos al Goliat incircunciso?

¿Quieres cambiar tu actitud ante los desafíos y problemas de la vida? Lee la Biblia con pasión, y permite que tu fe se levante a alturas que nunca antes habías imaginado. Cree promesas de fe y victoria tales como: *"Dios es poderosos para hacer todas las cosas mucho más abundantemente de lo que pedimos o entendemos, según el poder que actúa en nosotros"* (Efesios 3:20). Y *"Todo lo puedo en Cristo que me fortalece"* (Filipenses 4:13). Inspírate oyendo a Pablo decir: *"Porque todas las promesas de Dios son en El Sí y en El Amén, por medio de nosotros, para la gloria de Dios* (2 Corintios 1:20). Y *"Dios es el que en vosotros produce así el querer como el hacer, por su buena voluntad"* (Filipenses 2:13).

La mejor forma de desprogramar tu mente de todo el negativismo que recibiste de tu formación de niño, de tu trasfondo cultural, y de cierto entrenamiento religioso; es por medio de la Palabra de Dios. La Biblia es un libro positivo porque Dios es un dios positivo. Jesús, quien vino del cielo con el propósito expreso de manifestar al verdadero Dios, nunca habló de derrota, depresión, o confusión ante los problemas y desafíos de la vida. De sus divinos labios solo fluyeron palabras de fe y esperanza, que nunca dejan lugar a duda de que Dios es un Padre bueno, que está sumamente interesado en el bienestar de sus hijos. Lee y cree sus palabras las cuales te van a inspirar fe para desafiar tus desafíos. ¿Qué otro escritor de libros de positivismo puede superar palabras tan poderosas como estas palabras de Jesús?: *"Porque de cierto os digo que cualquiera que dijere a este monte: Quítate y échate en el mar, y no dudare en su corazón, sino creyere que será hecho lo que dice, lo que diga le será hecho. Por tanto, os dijo que todo lo que pidiereis orando, creed que lo recibiréis, y os vendrá"* (Marcos 11:23,24).

Piensa, Habla y Actúa Positivamente.

Lo que tú piensas va determinar lo que tú hablas, y lo que tú hablas va determinar lo que tú haces. Es una ley fija, la cual no podemos ignorar porque la misma

Biblia nos dice que lo que tú digas te será hecho. Por eso es que enfaticé en la sección anterior de este capítulo la importancia de llenar la mente con las promesas positivas de la Palabra de Dios. Hay un dicho popular que creo que se refiere a la operación de las computadoras: "basura hacia dentro, basura hacia afuera". En otras palabras, que si tú metes basura en tu mente, entonces por fuerza de tu mente va a salir basura. Si llenas tu mente con el negativismo que es tan común en este mundo, entonces eso mismo es lo que va a salir cuando tú hables.

Somos más controlados por lo que pensamos que lo que queremos admitir. El hombre y la mujer que quiera convertirse en vencedor de desafíos y circunstancias, tendrá que disciplinarse a pensar en armonía con la Palabra de Dios. Y como consecuencia de haber metido en tu mente la verdad positiva de la Palabra, entonces de tu mente no saldrá basura, sino palabras de fe y poder que te capacitarán para enfrentarte a tus desafíos, y siempre terminar como uno que es más que vencedor en todas estas cosas. Puedo fácilmente discernir cuál es la mentalidad de un individuo durante los primeros cinco minutos que platicamos.

Otra ley fija es que el hombre, no es solo lo que piensa, sino que siempre habla lo que piensa. Claro que hay excepciones a esta regla, y es cuando la persona trata de controlar lo que dice, porque sabe que otros que están presente lo están discerniendo. Yo no estoy hablando de una situación controlada, me estoy refiriendo a lo que decimos en los momentos de presión y dificultad. Lo que sale de tu corazón en esos momentos es exactamente lo que gobierna tu vida. Si no quieres terminar haciendo algo, entonces no lo digas ni en bromas; porque es posible que te encuentres haciendo algo que no es lo mejor para ti.

Te aseguro que tarde que temprano tus acciones serán el resultado de tus confesiones, como tus confesiones son el resultado de tus imaginaciones. Con razón la Biblia habla tanto de la renovación mental como un requisito previo para que el cristiano pueda vivir una vida santa de poder y victoria. Si quieres ser un conquistador de desafíos, disciplina tu mente a pensar en la posibilidad de la victoria, y controla tu boca para que solo fluyan de ella palabras de fe, poder y victoria. Y es casi seguro que si tu mente y tus palabras son positivas, entonces casi automáticamente tus acciones te moverán a tomar un curso de acción donde no habrá problema o desafío que tú no puedas vencer.

Evita el Consejo y Compañía de Gente Negativa.

No puedo concluir este capítulo sin hacerte consciente de algo que muchos ignoran, lo cual puede determinar si te convertirás en un vencedor de desafíos o un vencido por los desafíos. Las asociaciones que tú tengas van a determinar tu conducta. Si escoges en la vida andar siempre rodeado de los especialistas en lo negativo, perdedores y fracasados para quienes todas los cosas son imposibles; te garantizo que serás igual que ellos. Me he dado cuenta que mientras más negativa es una persona, más experta se cree ser para dar consejos. Nunca te dejes aconsejar por un fracasado. ¿Cómo alguien que se ha divorciado más veces que Elizabeth Taylor, va a darme consejos sobre cómo llevar bien un matrimonio?

Cada vez que me he encontrado con un desafío en mi vida o en mi ministerio hago una de estas cosas: leo un libro de alguien que venció un desafío parecido al mío, busco el consejo de alguien que pasó por lo que yo estoy pasando y venció, o busco la dirección del Espíritu Santo de Dios para que El me indique cuál es el curso de acción a tomar. Este no es el tiempo de andar y visitar a gente negativa, que creen que son expertos en todo, y nunca han logrado nada en la vida.

Si David le hubiera hecho caso a los expertos del ejército de Saúl, nunca hubiera derrotado a Goliat. Una palabra de cautela, es mejor estar sólo que estar rodeado de gente negativa cuando nos enfrentamos a ciertos desafíos. Mi expresión favorita en estas situaciones es la siguiente: "No necesito nadie que me desaliente, con el diablo es suficiente."

Si quieres ser un vencedor camina con los vencedores, si quieres ser un conquistador corre con los conquistadores, si quieres ser un confrontador de desafíos, rodéate de aquellos que saben cómo hacerlo. Hay muchos desafíos que tú nunca podrás enfrentar sólo, y necesitarás de la inspiración y ayuda de otros que tienen el mismo espíritu de conquistador, que es un pre-requisito para vencer los desafíos de la vida. Recuerda las inspiradas palabras de la Biblia: *"Mejores son dos que uno; porque tienen mejor paga de su trabajo. Porque si cayeren, el uno levantará a su compañero; pero ¡ay del sólo! que cuando cayere, no habrá segundo que lo levante"* (Eclesiastés 4:9,10).

No quiero que llegues a pensar que este asunto de cambiar la mentalidad negativa es algo que solo lo haces una vez. Con cada desafío tendrás que ajustar tu mente a nuevas realidades. Hay que estar siempre a la vanguardia porque el negativismo siempre está esperando el terreno fértil de una mente ociosa y vacía del espíritu de fe. Una buena práctica que te aconsejo, si quieres vivir una vida de victoria sobre cualquier desafío que se te enfrente; confiesa diariamente promesas de fe, poder, esperanza y victoria; porque como el hombre piensa en su corazón, así es él.

Capítulo 3

CON FE TÚ PUEDES VENCER

Porque todo lo que es nacido de Dios vence al mundo; y esta es la victoria que ha vencido al mundo, nuestra fe.

1 Juan 5:4

La fe es una de las fuerzas más poderosas del universo. Todo en el mundo espiritual se mueve por medio de la fe. La fe es tan importante porque es una de las virtudes o características de Dios. Dios es un dios de fe porque aun la Biblia registra que la constitución del universo fue resultado de la fe de Dios. Fue la fe de Dios lo que dio lugar a que de lo que no se veía surgiera un mundo con tan perfecto orden como es el nuestro.

En la misma forma, todos los desafíos de la vida pueden ceder ante la presencia de una fe activa y atrevida. Es imposible ser un conquistador de desafíos sin tener fe. Los desafíos pueden hacerte crecer en fe, o pueden hacerte un derrotado, dependiendo de como tú reaccionas ante los mismos. ¿Los enfrentas con una expectativa positiva de que de alguna forma vas a ganar, o sientes ese sentido de desesperación ante el reto de aquello que consideras que solo viene para derrotarte y deprimirte?

La Biblia nos dice que sin fe es imposible agradar a Dios, pero me atrevo decir que sin fe no puedes ganar en la batalla de la vida. Todos los hombres y mujeres que aparecen en la galería de héroes de Hebreos 11 fueron personas que pelearon, ganaron y prevalecieron por medio de la fe. Muchos de ellos quizás no tenían las cualidades naturales que uno espera en un guerrero, o en un vencedor; pero todos tenían una fe inquebrantable que les suplió la seguridad de que podían lograr lo que se habían determinado, porque Dios estaba con ellos. En algunos casos algunos de ellos cuestionaron a Dios por haberlos escogido para tan difícil desafío. Dos ejemplos de esto son Moisés y Gedeón.

¿Qué es Fe?

Aunque se ha dicho que fe es pensar positivamente, o tener una actitud positiva ante los desafíos de la vida; el verdadero concepto de fe va más allá de eso. La fe tiene que ver con la esperanza de poder conquistar lo que parece imposible, y con poder lograr lo que en el presente es invisible a la visión natural. Por eso el escritor de Hebreos definió la fe como **la certeza de lo que se espera, la convicción de lo que no se ve.**

Por eso es que la fe es más que un mero pensamiento positivo, o un cambio de actitud sobre algo. El pensador positivo solo puede pensar positivo mientras el barco se hunde, pero la persona de fe mantiene el barco a flote hasta que llega a puerto seguro. Con esto no estoy rebajando la gran importancia de pensar positivo y tener la actitud correcta ante los desafíos de la vida. Es que la verdadera fe es más que una aceptación mental de una verdad.

La fe que vence desafíos está fundada en una realización interna que siempre mueve al poseedor de ella a actuar en la confianza de que va conquistar el objeto deseado. Esta fe nunca admite pasividad, sino que nos provee la energía para hacer algo para cambiar la situación. Por eso Santiago dice que la fe sin obras es muerta; significando esto, que la fe que no actúa ante las circunstancias está muerta en sí misma.

Fe en el Carácter de Dios

¿Cuál es el concepto que tú tienes de Dios? El concepto o la opinión que tú tengas de Dios determinará en gran medida tu habilidad para creerle. Para la mayor parte de los seres humanos, Dios es una persona lejana, que no se inmiscuye mucho en los asuntos de los hombres. Para otros, Dios es solo un legislador o un agente policíaco, que siempre está esperando que cometamos la más insignificante infracción para castigarnos. Hay ciertas ideas religiosas que solo nos presentan a Dios como alguien que solo está interesado en bendecirnos después que partamos de esta vida.

Si creemos el relato bíblico de que Dios es el causante del principio de todo, tenemos que llegar a concluir que sería un acto de irresponsabilidad moral que Dios se negara a cuidar de su creación. Aun el hecho de que el hombre trajo corrupción a la tierra por causa del pecado, no ha causado que Dios pierda su interés en este planeta. Más que el interés que Dios pueda tener en la creación, El no ha cesado en su empeño de atraer el hombre hacia El, bendecirlo con lo mejor del cielo, y darle la fe para que sea en esta vida más que un vencedor.

Lo que determina el valor de una persona es su integridad. El carácter de Dios es íntegro en todos los aspectos. Esto es lo que nos asegura que El es el mismo ayer, hoy y por los siglos. Su carácter se distingue por la infalibilidad e inmutabilidad de sus palabras y sus acciones. Toda persona que tiene fe en ese carácter estable de Dios, puede creer sus promesas, porque tiene la seguridad de que Dios siempre estará presente para ayudarle a vencer todo lo que le venga en su caminar.

Lo que más me impacta del carácter de Dios es su amor y su benignidad. Dios es un ser infinitamente bueno, quien solo manifiesta su justicia cuando la injusticia de los hombres detiene la manifestación de su bondad. La fe opera en la revelación de que Dios es amor y está totalmente identificado con nuestras aflicciones e inquietudes. Si quieres crecer en fe, estudia detenidamente los cuatro evangelios donde Dios revela en la persona de su Hijo Jesús su verdadero carácter de un Padre bueno .

Fe en la Fidelidad de Dios

Otro rasgo sobresaliente del carácter de Dios es su fidelidad. Cuando decimos que alguien es fiel significamos con eso que esa persona es consistente, estable y responsable en sus palabras y acciones. Si hay una verdadera fidelidad no hay cambios bruscos e irresponsables en la persona que ha comprometido su palabra, su amor y su dedicación a otra persona. Dios es fiel simplemente porque su carácter de Dios así lo demanda. El no cambia de acuerdo a los estados de ánimo o de acuerdo a las circunstancias del momento. La Biblia dice que Dios no cambia y que Jesucristo es el mismo ayer, hoy, y por todos los siglos.

Dios no es fiel porque espera algo de nosotros o porque necesite algo. En lo natural sabemos que muchas personas son fieles a una amistad siempre y cuando que puedan sacar algún provecho, y siempre y cuando que se sientan en el estado de ánimo para hacerlo. Muy diferente a Dios que mantiene su fidelidad aun cuando la persona amada le sea infiel. Pablo le dijo a Timoteo: *"Si fuéramos infieles, El permanece fiel; El no puede negarse a sí mismo"* (2 Timoteo 2:13). Si Dios dejara de ser fiel dejaría de ser Dios, porque El mismo estaría negando una parte intrínseca de su carácter.

Es fácil tener fe en una persona que es fiel porque es confiable, responsable y consistente. ¿Quién confía en el infiel? ¿Qué esposa tiene fe en su marido, si tiene pruebas de que una y otra vez ha violado sus votos de fidelidad y no ha sido consistente en probar con sus actos lo que dice con sus palabras? Podemos fácilmente tener fe en Dios porque El se ha comprometido con nosotros por medio de sus palabras, y siempre ha mostrado ser consistente en la ejecución de todo aquello que nos ha prometido.

Fe en Su Habilidad y Poder

En este capítulo estamos hablando de la fe que enfrenta desafíos y nos hace terminar invictos en la lucha de la vida. Es necesario estar consciente de que Dios es todopoderoso para hacer todas las cosas mucho más abundantemente de lo que pedimos o entendemos (Efesios 3:20). Nada es imposible para Dios porque El posee el poder para hacer todas las cosas. La palabra **poder** significa la habilidad para ejecutar una acción efectivamente. Lo que distingue a Dios de los dioses de las naciones paganas es que El es Omnipotente; en su persona reside todo el poder que ha habido, hay o habrá.

La fe que vence desafíos debe estar fundada, no en nuestra debilidad e inhabilidad humana, sino en la habilidad y el poder de Dios para hacer todo aquello que El ha prometido en su Palabra. En uno de los encuentros de Jesús con un hombre que tenía un hijo atormentando por un demonio, éste le dice a Jesús: *"Si puedes hacer algo, ten misericordia de nosotros, y ayúdanos"*. La respuesta de Jesús fue de acuerdo a lo que estamos tratando en esta sección de este capítulo: *"Si puedes creer, al que cree todo le es posible"* (Marcos 9:22,23). Este hombre no entendía que la solución a su desafío no era detenida por la falta de poder en Jesús, sino por la falta de fe que él tenía en ese momento.

En la misma forma nosotros nos enfrentamos muchas veces a desafíos, y se nos olvida que la solución no está en si Dios puede o no puede darnos la victoria; la solución está en creer en su poder y habilidad para hacer aun lo que nos parece imposible. Dios es tan bueno, que no siempre requiere una fe perfecta de nuestra parte, sino que admitamos que aun en nosotros hay incredulidad. Hagamos como el padre de este muchacho atormentado, que pidió que Jesús ayudara su incredulidad. El poder de Jesús hizo dos cosas: primero, ayudó la incredulidad del padre para que pudiera creer, y después sanó completamente a su hijo de la opresión del demonio.

Fe en la Disposición de Dios

Una cosa es creer en la habilidad de alguien para hacer algo, pero es diferente cuando tenemos que creer en la disposición para hacerlo. Se me hace más fácil creer que un multimillonario tiene la habilidad para regalarme un millón de dólares que creer que en verdad los va a depositar en mi cuenta bancaria. Esta es la falacia de confiar más en los hombres que en Dios. Es posible que los hombres tengan los medios para resolver completamente mi problema, pero eso nunca es una seguridad de que tienen la mejor disposición para hacerlo.

En el caso de Dios, El no solamente tiene el poder para hacer todas las cosas, sino que tiene la mejor disposición para hacerlas. Es casi imposible encontrar un cristiano que no crea que Dios es poderoso para hacer todas las cosas. Todos cantamos, hablamos, predicamos y exaltamos las virtudes de un Dios de poder. ¿Entonces qué sucede que cuando nos enfrentamos a los desafíos de la vida no tenemos la fe para prevalecer? Porque la fe, no solo debe estar fundada en el poder de Dios, sino en su disposición para hacer todo lo que le pedimos.

Quiero ilustrar lo que acabo de decir con una historia de la Biblia (Mateo 8:1-3). Un leproso vino donde Jesús y le dijo: *"Si quieres, puedes limpiarme"*. Este hombre no era diferente a los cristianos modernos que saben que Dios puede hacer cosas por ellos, pero no están seguros si El quiere hacerlas. Reflexiona bien sobre esto; ¿qué tú crees de un padre que tiene los medios para socorrer a uno de sus hijos en un gran problema, pero teniendo los medios se niega a hacerlo? Diríamos que ese padre tiene un corazón duro o es insensible a la situación de su hijo. ¡Gracias a Dios que El no es así! La respuesta de El a sus hijos es la misma de Jesús al leproso: ***"QUIERO"***.

Fe en Su Palabra

La Biblia es el libro que revela el verdadero carácter de Dios. Todo lo que hemos dicho hasta ahora sobre el carácter de Dios lo hemos aprendido por medio de la revelación de Dios en su Palabra. La Biblia dice que la fe viene por el oír la Palabra de Dios. ¿Qué pasa entonces con miles de cristianos que semana tras semana oyen la Palabra de Dios y viven vidas derrotadas? Es que no puede haber fe en la Palabra de Dios, si primero no tenemos fe en la integridad del Dador de la Palabra. Lo que hace que la palabra de una persona tenga valor, no son las consonantes y las vocales que componen esa palabra. Lo que le da valor a la palabra de alguien, es la integridad del carácter del que la habla.

El verdadero valor de un hombre no reside en las palabras que habla, sino en las palabras que cumple. Si tengo fe en las palabras de alguien es porque esa persona me ha probado una y otra vez que él no miente, y que siempre que esté a su alcance cumplirá al dedillo todo lo que me prometió. Por eso es que yo tengo una fe absoluta en la Palabra de Dios, porque tengo una fe más que absoluta en el Dios de la Palabra.

¿Quieres estar equipado para enfrentarte a todos los desafíos que la vida te presenta? Ten fe en la Palabra de Dios, sabiendo que ella es el resultado de un Dios fiel, e integro, quien nunca puede fallar ni mentir. Es el carácter inmutable de mi Dios lo que le da tal poder a su Palabra. Cuando sabemos esta realidad entonces llegamos a entender que ninguna Palabra de Dios esta vacía de poder. Con razón dice Isaías 55:11: *"Así será mi Palabra que sale de mi boca; no volverá a mí vacía, sino que hará lo que yo quiero, y será prosperada en aquello para que la envié"*.

Fe en Su Pacto

La Palabra de Dios es tan poderosa porque en ella es que encontramos a un Dios que ha hecho pacto con los hombres. Sería más que suficiente con creer en la Palabra de Dios porque creemos en el carácter, integridad, bondad y fidelidad de Dios. Dios que no quiere dejar ninguna duda en nuestras mentes sobre su benigna disposición para ayudarnos, se ha comprometido con el hombre por medio de pactos. Los pactos de Dios nunca fueron la idea del hombre; son el resultado del carácter benigno de un Dios compasivo extendiendo sus manos hacia una raza de rebeldes perdidos.

Muchos hombres del Antiguo Testamento, cuando se enfrentaron a tremendos desafíos, que aparentemente eran inconquistables, echaron mano a las promesas del Pacto que Dios tenía con ellos o con su nación. Cuando le recordamos a Dios su Pacto, bajo ninguna circunstancia le estamos poniendo presión a Dios o estamos amenazando o violando su soberanía. Fue la idea de Dios de entrar en pacto con los hombres para que éstos en sus momentos de mayor dificultad pudieran echar mano de las promesas del Pacto.

Son estas promesas selladas con la mano poderosa de Dios, y afirmadas con la boca de un Dios que nunca ha mentido, lo que nos preña de fe para poder conquistar cualquier desafío al cual nos enfrentemos. En el aspecto natural de las cosas, sabemos de hombres que llevan a otros a los tribunales por no cumplir las condiciones de un contrato escrito y firmado por ambas partes. Si un contrato firmado por los hombres tiene tal poder legal, ¿cuánto más poder tendrá el Pacto que Dios ha hecho con sus hijos firmado con la sangre preciosa de su santo Hijo Jesús?

La única condición que tenemos que cumplir para que el Pacto de Dios se active, es hacer la parte que nos toca a nosotros en el contrato. Cuando tú sellas con tu obediencia y con tu fe el Pacto que Dios ha hecho contigo; Dios estará siempre presente para darte la victoria ante todos los desafíos de la vida. Es un hecho histórico que siempre que el pueblo de Israel se volvió a Dios de todo corazón, y cumplió las condiciones del Pacto; no hubo nación, condición, enemigo, o desafío que pudiera vencerlos.

¡Gloria a Dios!, que ese mismo Dios que muestra misericordia sobre los que guardan el Pacto no ha cambiado de opinión. Oye una de las gloriosas promesas de ese pacto: *"No temas, porque yo estoy contigo; no desmayes, porque yo soy tu Dios que te esfuerzo; siempre te ayudaré, siempre te sustentaré con la diestra de mi justicia"* (Isaías 40:10).

Fe en el Maravilloso Amor de Dios

La seguridad mayor que yo puedo tener para ser más que vencedor en esta vida es saber que Dios me ama con un amor incomparable. Ese amor es tan maravilloso que movió a Dios a hacer el máximo sacrificio del amor, dar lo más cercano a su corazón por una humanidad perdida, y que no siempre aprecia la manifestación de este amor. Dios es el único ser que ama sin la condición de ser amado. Este amor divino es casi difícil de ser comprendido por la mente humana. ¿Cómo uno define algo si no tiene algo de igual valor con que compararlo?

¿Qué tiene que ver este amor de Dios con mi fe para enfrentar desafíos? Si Dios pudo amarme tanto aun yo siendo un pecador empedernido, y envió a su único Hijo a morir por mí; ¿qué no hará ahora por mí que ya fui reconciliado por su sangre? Con razón Pablo se maravilló ante la magnitud de este amor y dijo: *"Porque si siendo enemigos, fuimos reconciliados con Dios por la muerte de su Hijo, mucho más, estando reconciliados, seremos salvos por su vida"* (Romanos 5:10).

Tenemos que cambiar esa mentalidad religiosa que nos hace creer que el único interés de Dios al salvarnos fue perdonarnos los pecados y librarnos de la ira venidera. El amor de Dios hacia el hombre no termina cuando uno nace de nuevo por el Espíritu Santo; ese es solo el comienzo de una revelación progresiva del amor que excede a todo conocimiento, en el cual no hay límite a la anchura, la longitud, y la profundidad del mismo amor para vencer y prevalecer sobre todo desafío y problema. Desarrolla fe en ese amor que nunca cambia y que a medida que lo conoces, descubres que es más lo que hay por conocer que lo que has conocido.

No debe ser un secreto que Dios quiere que tú venzas todos los desafíos que la vida o Satanás te presentan. Cree en que ese amor está disponible para socorrerte y proveerte de los recursos necesarios para que puedas ganar en la lucha de la vida. No seas tímido para pedirle a tu Padre lo que su amor te asegura que El te concederá sin reparos. Si yo siendo un padre humano e imperfecto, estoy dispuesto para auxiliar a mis hijos cuando ellos se están enfrentando a sus desafíos; ¿hará un Padre bueno como Dios menos que eso? No, No, No.

Oye lo que Pablo te dice: *"El que no escatimó ni a su propio Hijo, sino que lo entregó por todos nosotros, ¿cómo no nos dará juntamente con El todas las cosas?"* (Romanos 8:32). ¿Quieres crecer en ese amor? Conócelo y créelo para que tu fe se convierta en la victoria que vence al mundo. Nunca dudes de la disposición de Dios para darte todas las cosas que pertenecen a la vida y a la piedad. Grita a voz en cuello ante todos los desafíos de la vida: ***"¡Gloria a Dios, que con fe los puedo vencer!"***

Capítulo 4
¿TIENES CONFIANZA EN TI?

Para que la participación de tu fe sea eficaz en el conocimiento de todo el bien que está en vosotros por Cristo Jesús.

Filemón 1:6

Hay una tendencia muy común en el ser humano que en ninguna forma lo ayuda a enfrentar los desafíos de la vida. Me refiero al hábito de despreciarse a sí mismo, y tener un concepto más bajo de sí que el que debe tener. No quiero que nadie crea que estoy abogando por una actitud de orgullo y arrogancia en el ser humano, que no es otra cosa que una falsa imagen para esconder la falta de seguridad y la ausencia de una imagen interior saludable. No cometas el error de muchos que queriendo ser humildes, recurren a la auto-destrucción de sus valores internos.

La meta de este capítulo es contestar la pregunta: ¿Tienes confianza en ti mismo? Sé que me corro el riesgo al escribir este capítulo, que alguien crea que estoy auspiciando una filosofía humanista o una doctrina que se asemeja a la Nueva Era. Me sorprende la infinidad de cristianos que no se atreven afirmar la totalidad del bien que hay dentro de ellos, como resultado de que un día nacieron de nuevo y ahora son una nueva clase de seres humanos, hijos de Dios.

Aun el hombre que no ha sido salvo por la sangre de Cristo tiene una dignidad y un valor como una persona que fue creación de Dios. Yo sé que esto contradice un punto de vista teológico que enseña que no hay nada bueno en un pecador. Si esto fuera del todo cierto, tendríamos que llegar a concluir que ningún pecador puede ser un buen ciudadano, un buen padre, o una persona con altos valores morales. Está claro y bien definido que nada de esto es suficiente para agradar a Dios, y tampoco es un substituto de la justicia que solo se recibe por le fe en Jesús. El ser humano no regenerado tiene aun en su conciencia parte de la imagen que Dios le dio al hombre cuando sopló en él el aliento de vida. Sabemos que esta imagen fue dañada y alterada por la mancha del pecado.

Sé que este libro será leído tanto por personas que profesan la fe cristiana como por aquellos que nunca han hecho a Jesús su Señor y su Salvador. Mi mensaje para el pecador es que venga a Cristo para que reciba la nueva imagen de hijo de Dios. Al que ya es cristiano lo invito a que tenga fe en la obra que el Espíritu Santo hizo dentro de él cuando fue salvo, y no caiga en una falsa humildad que le impida creer, confesar, y operar en todo el bien que Dios ha depositado dentro de El.

¿Cómo Está tu Auto-estima?

Podemos definir la auto-estima como la forma que un individuo se aprecia o se rechaza a sí mismo. Lo que más afecta a un individuo en su realización total como ser humano, no es la forma cómo lo ven los demás, sino la forma cómo él se ve o se considera a sí mismo. Aunque no podemos usar la auto-estima como una excusa para explicar todos los fallos de una persona, tenemos que admitir que muchos aspectos de nuestra conducta son el resultado de cómo nos vemos a nosotros mismos.

Cada persona tiene una imagen de sí misma. Esta imagen es la suma total de todos los valores, experiencias, aprendizaje, cultura, y palabras que la persona ha recibido desde muy temprano en su niñez. La razón por la cual individuos ni se respetan a sí mismos y tampoco respetan a sus semejantes, es porque no tienen un buen sentido de valores dentro de su conciencia. Esto confirma lo que mencioné antes, que como el hombre piensa en su corazón así es él.

Se nos hace muy fácil hacer comentarios derrogativos sobre una mujer prostituta, o sobre un indigente que duerme en las calles de nuestras grandes urbes. No se nos ocurre pensar muchas veces que en algún momento en el desarrollo de los valores internos de ese individuo alguien violó el respeto a la dignidad de esa persona. Posiblemente la prostituta en su pasado fue abusada sexualmente por un familiar cercano, y desde ese momento perdió todo respeto por su propio cuerpo. Quizás su conducta actual es fruto del razonamiento: "Si fulano que era una figura de autoridad en mi vida no respetó mi dignidad de ser humano; ¿por qué voy a respetarme a mí misma?"

Creo con todo mi corazón que nadie puede ganar en la batalla de la vida, si primero no tiene la victoria en su imagen interior. Como tú te ves adentro reaccionarás afuera. ¿Qué es lo que hay dentro de ti; un asustado y débil individuo herido por las palabras y acciones de otros, o un guerrero visionario lleno de la fe de que para aquel que cree todas las cosas son posibles? Por eso es que es tan importante para el que quiera vencer los desafíos de la vida, que se llene de la fe que hablamos en el capítulo anterior. La Palabra de Dios es más que poderosa para cambiar una imagen de debilidad y derrota por una imagen de fortaleza y victoria.

Fuiste Creado para Dominar

Nunca fue el propósito original del Creador hacer un hombre débil, derrotado, y despojado de una visión creativa. El relato bíblico nos dice la clase de hombre que Dios hizo. *Entonces dijo Dios: Hagamos al hombre a nuestra imagen, conforme a nuestra semejanza; y señoree en los peces del mar, en las aves de los cielos, en las bestias, en toda la tierra, y en todo animal que se arrastra sobre la tierra* (Génesis 1:26).

Si las palabras significan lo que dicen, entonces Dios creó al hombre con el potencial de ser el señor sobre la creación. El hombre fue creado con el poder y la autoridad para dominar. ¿Dónde está ese poder y esa autoridad? En la imagen que Dios depositó en el espíritu del hombre. El propósito original de Dios es que fuéramos señores y gobernadores juntamente con El de todo lo creado. Dios nunca ha cambiado de opinión acerca de la función del hombre en este mundo.

Siempre que el hombre vive una vida escasa, estrecha e inferior al diseño original de Dios; es porque el hombre ha recibido otra imagen, que no es la imagen de conquistador que Dios le dio. Esto empezó en el Jardín del Edén donde Satanás logró cambiarle la imagen que Dios le había dado al hombre por la imagen inferior que Satanás le sugirió a la mujer. Ya Adán y Eva eran como Dios, pero se dejaron engañar cuando el diablo les dijo: *"Seréis como Dios"* (Génesis 3:5). Lo que esta astuta serpiente no les dijo fue, que lo que supuestamente iban a ganar desobedeciendo a Dios, no era nada en comparación con lo que ya tenían como hijos de Dios.

Lo que Impide que Vivas con Dominio

¿Qué es lo que nos impide vivir en esa dimensión de señorío y dominio, donde no somos paralizados por los desafíos de la vida? **El primer obstáculo es el pecado**, el cual siempre nos separa de la imagen de vencedor que Dios nos dio, y nos impide creer por lo imposible.

El segundo obstáculo es la auto-suficiencia, que nos hace creer que podemos tomar un curso de acción independiente de Dios, y aun así creer que podemos usar sus recursos para ganar en la batalla de la vida.

El tercer obstáculo es cuando no reconocemos que somos responsables del estado de nuestra imagen interior, y queremos culpar a todo el mundo de nuestros fracasos. El resultado final de todo esto es una vida hundida en la auto-conmiseración, la depresión, y rendida al fatalismo que nos convence que no hay razón para luchar porque al fin de cuentas nada va a cambiar.

Eres una Nueva Creación

La Biblia dice que si alguno está en Cristo, es una nueva creación. La verdadera imagen de un cristiano se encuentra en la identidad que recibió cuando nació de nuevo por medio del Espíritu Santo. Esta nueva imagen no es muy evidente al principio de la conversión del individuo. A medida que la persona aprende a caminar en esta nueva vida, y se disciplina a renovar su mente con la Palabra, es que descubre lo que verdaderamente ella es en Cristo. Nacer de nuevo implica algo más que cambiar de religión o convertirse a una nueva fe; nacer de nuevo implica que recibimos la misma imagen que Adán perdió cuando pecó.

Esta nueva creación es hecha a la imagen de Jesús. Por eso es que Jesús es el primero de una nueva raza que se llama la Nueva Creación. Es en esta nueva imagen donde está la santidad, la creatividad y la victoria del cristiano. ¿Te das cuenta ahora porqué el titulo de este capítulo es, **¿Tienes confianza en ti?** Si tú quieres vivir una vida de conquista y victoria sobre todos los desafíos de la vida, tienes que echar mano de los recursos que Dios depositó en tu espíritu desde el día que fuiste salvo.

Si esto es así, ¿por qué hay tantos cristianos viviendo vidas derrotadas? Porque la tendencia del ser humano es tener más confianza en su naturaleza humana que en la nueva naturaleza que uno recibe cuando es salvo. Cuando yo hablo de tener confianza en ti me refiero a que tengas fe en todo lo que Dios depositó en ti por medio de la nueva creación. Hay un verso en la carta de Pablo a Filemón que afirma la realidad de lo que acabo de decir. *"Para que la participación de tu fe sea eficaz en el conocimiento de todo el bien que está en vosotros por medio de Cristo Jesús"* (Filemón 1:6).

Nunca tengas temor entonces a afirmar o a confesar todo el bien que está en ti por medio de Dios. La tragedia de los cristianos derrotados es que ignoran que en su nueva creación no hay pecado, enfermedad, temor, debilidad ni incredulidad. Si Jesús vive dentro de ti, El tiene todos los recursos para hacerte más que vencedor. Su poder santificador, su poder creativo, y su poder conquistador te han sido inyectados en la nueva creación para que como creyente puedas enfrentarte con fe y confianza a todos los desafíos de la vida.

El Mayor Vive en Ti.

Si los creyentes vivieran más conscientes del que vive dentro de ellos que de los problemas que enfrentan afuera, no se les haría tan difícil enfrentarse a los retos de la vida y salir siempre victoriosos. La frase bíblica *"mayor es el que está en vosotros, que el que está en el mundo"*(1 Juan 4:4), no es simplemente una bonita declaración doctrinal que nos levanta las emociones cuando la oímos. Podemos decir que este es el gran secreto de una vida de poder, dominio y victoria sobre todo aquello que amenaza la felicidad, la salud y la prosperidad del ser humano.

¿Quién es el que está dentro de nosotros? Permite que la Biblia nos conteste esta pregunta (Juan 14:22,23). Cuando uno de los discípulos de Jesús le preguntó cómo seria que El se manifestaría a sus discípulos y no al mundo, Jesús le respondió: *"El que me ama, mi palabra guardará, y mi Padre le amará, y vendremos a él, y haremos morada en él"*. ¿Para qué es que Jesús y el Padre vienen a morar en la persona que ama a Jesús y guarda su Palabra? Yo no creo que el Padre y el Hijo solo vienen al creyente para ser carga adicional. Ellos vienen a morar en el creyente para ayudarle a vencer en todas las circunstancias de la vida.

Es que el plan de Dios nunca fue que viviéramos vidas independientes de El y sus divinos recursos. **La superioridad y la excelencia del Nuevo Pacto está en que Cristo ahora es en nosotros la esperanza de gloria.** El es la esperanza de que podamos lograr todos los sueños y visiones que nos son dados por el Espíritu Santo. Vivamos concientizados del poder y la gloria que reside en aquellos que somos hijos de Dios. Recordemos que *Dios es el que en nosotros produce así el querer como el hacer por su buena voluntad* (Filipenses 2:13).

Si aquel que está en nosotros es mayor que todo lo que está en el mundo, entonces podemos vivir confiados que ninguna arma forjada contra nosotros prosperará. Todo lo que hay en el mundo: pecado, enfermedad, pobreza, depresión, opresión diabólica, tentaciones, y hasta las actitudes negativas de otras personas; no se puede comparar con el poder de Dios dentro del creyente. Si la Biblia asegura que **El MAYOR** vive dentro de mí, no debo nunca acobardarme ante el desafío más grande que pueda venir en contra mía.

Dios Opera por Medio de Ti.

No quiero que llegues a pensar que si Dios vive en ti, entonces tú puedes darte el lujo de caer en la pereza y la inacción pensando que Dios lo va a hacer todo sin tu cooperación. Si esto fuera cierto todos los cristianos vivieran en una dimensión de victoria absoluta. Los que aun vivimos en este planeta nos damos cuenta que la realidad es otra. Todo lo que el creyente logra en esta vida, lo logra por medio de la fe, la determinación y la conquista. Aunque Dios está dentro de nosotros, somos nosotros los que desatamos su poder para poder vivir en victoria.

Por medio de nuestra fe, nuestra confesión y nuestras acciones correspondientes es que desatamos la gran energía creativa que recibimos cuando fuimos salvos. Para desatar esa divina energía necesitamos cada día ser energetizados con las promesas de la Biblia y con la constante comunión con el Espíritu Santo. Tenemos que traer todo pensamiento de negativismo, derrota y de incredulidad a la obediencia a Cristo. No podemos dejarnos controlar con el razonamiento o la lógica, que se interpone para que no creamos la realidad de lo que Cristo es en nosotros.

Dentro de ti hay una ley superior que te puede hacer más que vencedor en todas las cosas (Romanos 8:2). Me refiero a la ley del Espíritu de vida en Cristo Jesús, el cual te libertó de la ley del pecado y de la muerte. Esta ley de vida no es otra cosa que el poder de resurrección que le es impartido a toda persona que nace de nuevo. Con razón Pablo dijo que los cristianos necesitan espíritu de sabiduría y de revelación para conocer la supereminente grandeza del poder que actúa en los que creen (Efesios 1:17-23). Más tarde en el mismo libro Pablo asegura que Dios puede hacer todas las cosas mucho más abundantemente de lo que pedimos o entendemos, pero él aclara que es ***según el poder que actúa en nosotros*** (Efesios 3:20,21).

Aun las promesas de Dios, que son tan poderosas, necesitan un canal para ser de bendición a los hombres en la tierra. Los hombres tenemos que leerlas, creerlas, confesarlas y ponerlas en acción para que el milagro acontezca. Las promesas de Dios, si solo se quedan dentro de las páginas de tu Biblia, son como la semilla que se queda en el saco y nunca es sembrada en la tierra. Es solamente cuando sembramos esa Palabra dentro del corazón que *todas las promesas de Dios son en El Sí, y en El Amén, **por medio de nosotros,** para la gloria de Dios* (2 Corintios 1:20).

Reinando en Vida

El cambio de una imagen interior negativa a una positiva no ocurre de la noche a la mañana. Son muchos los obstáculos que impiden el desarrollo de una buena auto-estima. La tendencia al auto-desprecio y a caer en la depresión son actitudes de las cuales te debes cuidar, si quieres mantener una buena imagen. Hay veces que aun en nuestro anhelo de vivir una vida santa que agrade a Dios, caemos en un estado de constante condenación porque aparentemente no damos la medida. He observado como personas se destruyen a sí mismos con el constante fluir de palabras negativas de su boca. He notado que los evangélicos no nos flagelamos el cuerpo, como hacen algunos religiosos paganos; pero nos flagelamos el hombre interior con las palabras negativas que hablamos acerca de nosotros mismos.

Si quieres vencer en la vida tienes que tener confianza en ti mismo; esto es, confianza en tu dignidad como ser humano, confianza en el valor interno de tu nueva creación, confianza en que la sangre de Jesús te hizo justo, confianza en el Cristo que vive en ti, confianza en que el Espíritu Santo te guía a toda verdad, y confianza en que Aquel que comenzó en ti la buena obra la perfeccionará hasta el día de Jesucristo.

Bajo ninguna circunstancia no creas que una vida derrotada, aburrida, y llena de complejos de inferioridad le trae gloria Dios. El diseño de Dios para cada uno de sus hijos aquí en la tierra es que ellos reinen en vida. Reinar en vida significa que siempre vas a estar arriba y nunca abajo, siempre serás la cabeza y nunca la cola. Reinar equivale a dominio, poder y autoridad. En la vida solamente hay dos clases de individuos: los vencederos y los vencidos. Es más fácil ser vencido, porque lo único que hacen los vencidos es dejarse llevar por la corriente cuesta abajo y nunca pelear por lo que legalmente les pertenece.

Yo me niego a ser de los vencidos porque mi Señor y Salvador Jesús nunca se dejó vencer por los

problemas y circunstancias de la vida. Nunca permitió que nada ni nadie interfiriera con el cumplimiento de su propósito profético. Los desafíos serán parte de nuestra experiencia mientras estemos en este mundo. No es cambiar de cónyuge, ni mudarse de país, ni cambiar de automóvil lo que nos va a dar la victoria sobre ellos. Lo que me da la victoria en cada desafío es saber que yo he sido destinado para ser más que vencedor aquí en la tierra. Tengo la seguridad de esto, porque los que hemos recibido la abundancia de la gracia y del don de la justicia reinamos en vida por medio de Jesucristo. **Jesús es la mejor razón para yo tener confianza en mí, porque El vive en mí con su poder de vida de resurrección, y solo El es mi esperanza de gloria.**

Capítulo 5
¿ESTÁS DISPUESTO AL RIESGO?

Por la fe Abraham, siendo llamado, obedeció para salir al lugar que había de recibir como herencia; y salió sin saber a dónde iba.

Hebreos 11:8

Si lo pensamos bien, tenemos que llegar a la conclusión que todo lo que se logra en la vida requiere un riesgo. Desde que nacemos hasta que concluimos la vida en esta tierra tenemos que estar dispuestos al riesgo para sobrevivir y para alcanzar el éxito deseado. Considero que el miedo al riesgo es el miedo al éxito.

Toda persona que hoy está disfrutando cierta medida de éxito y progreso tuvo que arriesgarse en algún momento a hacer cosas que quizás para otros parecían locura. Una vez oí al predicador africano, Benson Idahosa decir: "Si quieres ganar tienes que atreverte a tomar el riesgo. Abraham tomó un riesgo y ganó; Moisés tomó un riesgo y ganó; Jesús tomó un riesgo y ganó".

La gente que no se atreve a hacer algo, a menos que primero tengan todo asegurado que van a triunfar, casi nunca llegan a nada en la vida. La vida de fe es una vida llena de riesgos. Por eso no mucha gente quiere vivir la vida de fe, porque ésta vida envuelve muchas veces tirarnos a mirar lo invisible y a hacer lo imposible. Para la gente normal el hombre que toma riesgos es loco o es un visionario. Nunca creas que vas a recibir el aplauso de la gente común cuando te vean tomando posiciones arriesgadas en la vida para llegar al lugar que Dios quiere que tú llegues.

Es más fácil quedarse en la zona de seguridad y no tirarnos a lo desconocido a hacer lo que nadie ha hecho antes. Muchos critican a Pedro porque por poco se hunde caminando por las aguas. No se nos olvide que de los doce discípulos, él fue el único que se arriesgó a caminar sobre las aguas. Es cierto que los otros once discípulos no se expusieron al peligro de hundirse en el agua; pero tampoco se registra de ellos que tuvieron otra oportunidad de caminar sobre el agua.

Me gusta Pedro porque él se atrevió a tomar el riesgo de caminar sobre el agua aun cuando más nadie lo acompañó. Aunque en el proceso de caminar sobre el agua Pedro comenzó a hundirse, él fue lo suficiente humilde e inteligente para pedirle ayuda al Señor. El Señor Jesús lo tomó de la mano y regresó caminando con El hasta el barco. Dios me libre de criticar a Pedro; todavía yo no me he animado ni tan siquiera a caminar por encima del agua de mi bañera.

Es posible que cuando nos arriesgamos a emprender lo imposible en el proceso tengamos algunos tropiezos. Todo riesgo lleva dentro de sí la posibilidad del fracaso. Por eso es que se llama riesgo. Lo que no debes olvidar es que siempre Dios está disponible para ayudar a la persona que toma riesgos de fe. Cuando hablo de riesgos de fe no me estoy refiriendo a hacer locuras. Pedro tomó el riesgo de caminar sobre las aguas porque Jesús le dio la palabra. Ahora, el hecho de que tengas la palabra de Dios, nunca indica que no habrán problemas cuando tomas un riesgo.

Arriésgate a Hacer lo que Nadie Hizo Antes.

Hacer lo que nadie hizo antes siempre conlleva un desafío. El hecho de que nadie lo hizo antes es una buena y lógica razón para que tú mente se paralice y te indique que no debes tomar el riesgo de tratar. Posiblemente otros han tratado antes, y quizás en el intento, o fracasaron y en algunos casos hasta perdieron la vida. Es fácil permitir que las experiencias de otros controlen nuestra vida de fe.

Siempre que tú intentes hacer algo que nunca se hizo antes, no faltarán las personas bien intencionadas que traten de desanimarte. Muchas veces las personas más cercanas a uno, que no quieren que uno se frustre con otro fracaso; son los primeros en darte una docena de razones por las cuales no te debes arriesgar.

Me he dado cuenta que las personas que se enfrentan a los desafíos de la vida y ganan son personas muy solas. Esto se aplica especialmente a líderes en diferentes esferas de la vida. Los líderes que triunfan son aquellos que tienen una visión, toman el riesgo que se requiere, y no cambian de curso de acción hasta que llegan a conquistar lo que se han propuesto. Por otra parte, los líderes que dependen demasiado de la opinión de sus seguidores, y son esclavos de la opinión pública, casi nunca llegan a lograr sus metas y visiones.

Es posible que algunos no estén de acuerdo con lo que voy a decir ahora. No creo en el gobierno eclesiástico donde el pastor es controlado y limitado por una junta de directores, una junta de diáconos o una junta de ancianos. No tengo problemas siempre y cuando que el pastor esté rodeado de una junta de asesoramiento que comparte su misma visión. Las iglesias que crecen son aquellas donde el líder es un hombre con una visión definida, quien se atreve a tomar riesgos, y no permite que la opinión pública lo paralice.

Es interesante que Dios nunca llamó un comité para hacer algo. Para empezar una nueva nación llamó un solo hombre, Abraham. Para sacar a su pueblo de esclavitud escogió un hombre, Moisés. Para salvar la humanidad de la maldición del pecado envió a un hombre, Jesucristo. Los comités y los grupos casi nunca se ponen de acuerdo cuando se trata de tomar riesgos.

Es más fácil tratar con un hombre que se deja impactar por la fe de Dios, y llega un momento en su vida que está tan preñado de esa fe, que está dispuesto a tomar cualquier riesgo para conseguir la visión que Dios puso en su espíritu. Es posible que este hombre esté sólo, pero si tiene fe y está energetizado con una visión viva, no hay argumento humano que le impida arriesgarse para triunfar en su propósito.

La Vida de Fe es un Riesgo.

En estos días yo me cuestiono qué clase de fe es la que tiene alguna gente. Te dicen que tienen fe pero nunca dan un paso para hacer aquello que dicen que creen. He observado que la razón por la cual no toman ninguna acción de fe, es porque están a la espera de las condiciones perfectas para emprender algo. ¡Cuántos son los millares de sueños sin realizar porque los poseedores de los mismos no se atrevieron a tomar ningún riesgo! Nunca tendremos las condiciones perfectas y el éxito asegurado hasta que nos movamos en fe y tomemos un riesgo.

En las bancas de nuestras iglesias hay docenas de jóvenes que tienen un llamado a empezar algún ministerio. Quizás otros tienen la visión de algún día comenzar una iglesia. ¡Cuántos pasan años y años esperando una señal o un milagro que les asegure él éxito antes de salir!

Algunos dicen que están esperando una señal para salir; la señal que están esperando es la seguridad de un buen salario para salir por 'fe'. ¿Qué riesgo hay en dejar un buen salario en lo secular para obedecer a Dios, si ya tengo la seguridad de otro salario igual o más alto? Esto equivaldría a dejar una posición con la Compañía General Motors porque conseguí una mejor con la Compañía Ford Motors.

¿Quieres que te diga a dónde van a llegar estas personas de 'fe'? A ningún sitio. Cuando el Señor me llamó al ministerio que hoy ejerzo El nunca me prometió un salario o las mejores condiciones de vida; lo único que El me prometió es que estaría conmigo todos los días hasta el fin del mundo. Para mí fue un tremendo riesgo dejar mi buena remunerada posición de profesor de escuela en la Ciudad de Chicago, para dedicarme a ser el pastor de menos de 30 personas, la mayoría de ellos pobres y viviendo de la ayuda pública.

Toda mi vida la he vivido tomando riesgos. Cuando todos me decían que no estudiara para ser profesor de lenguas, porque casi no podía hablar bien con la mía; tomé el riesgo de hacerlo a pesar del consejo de los expertos. Cuando me mudé a una ciudad desconocida donde no conocía a nadie y casi no dominaba el idioma inglés; algunas personas trataron de hacerme desistir de la idea. Una vez más tomé el riesgo de venir a trabajar en un sistema diferente al que conocía, y de estudiar en el Instituto Bíblico Moody sin casi entender las clases al principio, por la dificultad con la lengua inglesa.

El tomar riesgos ha sido parte de mi vida. Todos los templos que hemos adquirido para nuestra iglesia en Chicago fueron a base de riesgos que parecían locuras. Aun el éxito económico en mi vida personal ha sido el resultado de riesgos. Todavía me acuerdo de la mirada de uno de mis hijos cuando hace algunos años decidí renunciar al salario de mi iglesia y vivir de las ofrendas voluntarias de los hermanos. Este hijo preocupado con una cara de asombró me llamó a solas y me dijo: "Papi, ¿qué es eso que ya tú no vas a tener un salario fijo? ¿Con qué dinero vamos a comer y con qué dinero me vas a comprar la ropa?" Le contesté con una sonrisa porque yo estaba seguro que en este nuevo riesgo Dios me respaldaría. ¡Gloria a Dios que El lo hizo!

Arriésgate a Fracasar.

La razón por la cual muchos no se arriesgan es porque temen fracasar. Déjame advertirte que sí hay una alta posibilidad de fracaso en cada riesgo que uno toma. Si este capítulo te inspira a tomar un riesgo en cualquier esfera de tu vida, no descuentes la posibilidad del fracaso. Con esto no estoy siendo negativo, solo te estoy advirtiendo para que después no me culpes a mí por tu fracaso. Me atrevería decir que un alto porcentaje de las personas que hoy están coronadas de éxito y progreso, tuvieron un sinnúmero de fracasos antes de llegar a la posición que están ocupando ahora.

¿Qué hacer con los fracasos? Algunos años atrás prediqué un mensaje titulado "Fracasa tus Fracasos". Nunca permitas que los fracasos de la vida te paralicen y te impidan seguir hacia el frente. Anoche predicaba que la vida cristiana es una carrera de obstáculos. El éxito tuyo depende de saber cómo saltarlos y llegar a la meta. Para mí un fracaso nunca es un fracaso, si yo lo uso para aprender una nueva lección en la vida. No digas: "Fracasé tantas veces haciendo tal cosa". Es preferible expresarlo en esta forma: "Aprendí tantas formas a cómo no hacer algo".

Cuantos millonarios fracasaron docenas de veces antes de poder levantar cabeza. Leí la autobiografía de Conrad Hilton, el fundador de la cadena de Hoteles que lleva su mismo nombre, y me sirvió de muchas inspiración. El imperio financiero que es la cadena de Hoteles Hilton en todo el mundo, es el resultado de un hombre visionario que fracasó muchas veces, y hasta se fue en bancarrota durante la gran depresión económica en Estados Unidos en la década de los 30. Este hombre no se dejó frustrar por los fracasos de la vida. Quizás esto se debió a una gran fe en Dios, y confianza en sí mismo; pero creo que más que todo, su éxito se debió a que cada mañana a las 6:00 lo primero que hacía era ir a su iglesia a orar y a buscar dirección espiritual para el día.

Tanto el pequeño negociante que pone un kiosco en la esquina, como el pastor pionero que empieza una pequeña iglesia en la sala de su casa están tomando un riesgo. ¿Quién le asegura al negociante que alguien va a comprar sus productos? ¿Cómo sabe ese pastor pionero que alguien se va a interesar en su pequeño grupo de estudio bíblico en una casa? Lo que los mueve a ambos es la fe, en una forma u otra. El negociante tiene fe de que hay un mercado para sus productos; y el predicador tiene fe que Dios lo llamó y que él tiene un mensaje que va cambiar el destino eterno de muchas personas.

La clave es seguir un curso de acción a pesar de las muchas veces que fracasamos. Recuerda una ley que nunca falla, **la persistencia siempre vence la resistencia**. Atrévete a tomar el riesgo de hacer aquello que tú sabes que Dios te manda a hacer. Repito, que cuando hablo de tomar riesgos, no me estoy refiriendo a hacer cosas locas sin tener una visión o la fe para hacerlas. Tampoco tomemos riesgos porque otro los tomó y le salió bien. Recuerda que antes de hablar de riesgos en este libro, traté acerca de la importancia de la fe para enfrentarte a tus desafíos.

¿Estás Dispuesto a Arriesgarlo Todo?

Al principio de este capítulo mencioné tres hombres que se arriesgaron y ganaron. El secreto del éxito de Abraham, Moisés y Jesús es que estuvieron dispuestos a arriesgarlo todo. Pablo nos habla de la actitud del hombre que tiene una visión y toma riesgos de fe en Hechos 20:24: *"Pero de ninguna cosa hago caso, ni estimo preciosa mi vida para mí mismo, con tal que acabe mi carrera con gozo, y el ministerio que recibí del Señor Jesús; para dar testimonio del evangelio de la gracia de Dios".* La gente que vence desafíos y vence en la lucha de la vida es gente que está dispuesta a dar el todo por el todo. El problema es cuando queremos recibir el todo sin dar nada.

Todo en la vida cuesta, y en muchas ocasiones nos cuesta todo. A Abraham le costó dejar su tierra y su parentela, su vida cómoda, para irse de peregrino a morar en tiendas buscando la ciudad cuyo arquitecto y constructor es Dios. A Moisés le costó decirle adiós a las riquezas, a la vida social alta, y a la comodidad del palacio real en Egipto; para ser maltratado con el pueblo de Dios. Y no olvidemos a Jesús cómo nos dio el ejemplo de dar el todo por el todo. Siendo Dios se hizo hombre y dejó su trono de gloria para venir a esta tierra a tratar de rescatar una raza de pecadores y rebeldes.

Las reglas del juego siguen siendo las mismas para los que hoy queremos hacer una diferencia en nuestro mundo. Si queremos desafiar los obstáculos de la vida y conquistar todo lo que hemos soñado, tenemos que armarnos de esa actitud que no le saca el cuerpo al riesgo, al sacrificio, y a dar el todo por el todo. ¿Estás dispuesto a arriesgar tu reputación, la aprobación de tus seres queridos, tu seguridad económica y aun tu status social para que también te unas a los héroes de Hebreos 11?

Te reto a salir de la zona de seguridad donde no hay peligros, que también es la zona donde no hay milagros; y a tomar el riesgo de hacer lo que nadie hizo antes. Recuerda que tarde que temprano los desafíos de la vida cederán ante el hombre y la mujer que está dispuesto a arriesgarlo todo para alcanzar la corona de triunfo, que está reservada solo para aquellos que tienen fe, y no se rinden hasta ver su visión cumplida.

He tratado de vivir mi vida arriesgada siguiendo al pie de la letra el consejo de Pablo en Hechos 20:24. Por esta razón no hago caso de nada que se me ponga al frente, no estimo mi vida como algo precioso para mí mismo, y estoy dispuesto a correr la carrera con gozo hasta alcanzar el premio deseado. Esta vida es excitante aunque es peligrosa, y es esta actitud lo que separa a los vencedores de los vencidos.

¿Por qué me gusta tanto la vida de fe? Porque es una serie de aventuras llena de riesgos, pero a la misma vez es una vida llena de milagros. Quiero que algún día también digan de mí: **"Nahum Rosario se arriesgó, por eso siempre triunfó"**. Amigo y hermano, ¿por qué no te unes al Club del Riesgo de Fe?

Capítulo 6
PERSISTE EN UN CURSO DE ACCIÓN

"Pero nosotros no somos de los que retroceden para perdición, sino de los que tienen fe para preservación del alma."

Hebreos 10:39

Una de las razones por las cuales muchas veces no llegamos a lograr las metas y visiones que nos hemos propuesto, es porque no somos perseverantes en un curso de acción. Es evidente que la mayoría de nosotros llegamos a preñarnos de una visión y comenzamos con tremenda determinación a luchar por lo que deseamos. ¿Qué es entonces lo que sucede, que muchos sueños no se llevan a su total realización? Si no estamos bien informados, en el momento que iniciamos un proyecto de fe, que lo normal será que no pasará mucho tiempo sin que se nos presenten un sinnúmero de desafíos; seremos tentados a descontinuar esa visión y a substituirla por otra que pensamos que será más fácil de realizar.

Aunque el principio de algo es importante, lo que determina tu éxito, es tu actitud para terminar la carrera. ¡Cuántas casas nunca se terminaron por el desafío de la falta de dinero! ¡Cuántos estudiantes no terminaron su carrera porque tuvieron problemas con un profesor, o alguna materia se les convirtió en un terrible desafío! Esto lo podemos aplicar en todos los campos de la vida. Todo matrimonio comienza con una expectativa de que van a ser felices y van a permanecer juntos para siempre. ¿Por qué entonces hay tantos divorcios aun entre parejas cristianas? La modalidad hoy en día es que ante el primer desafío es más fácil decir: "Lo mejor es divorciarnos", que enfrentar el problema y buscar una solución.

Ningún proyecto natural o espiritual será jamás terminado, a menos que tengamos una terca determinación de que no nos vamos a rendir ante los desafíos de la vida, y vamos a concluir lo que un día comenzamos. La gente que triunfa en la vida no son los más emocionales y habladores; los que siempre triunfan son los que aun sin hacer mucho ruido se arman de una determinación, de que están dispuestos a mover cielo y tierra para conseguir llegar al final de la visión que se han propuesto.

He observado esto aun en las personas que hacen una profesión de fe para servir a Jesús. En muchas ocasiones los que se emocionaron y gritaron y dieron saltos de gozo al convertirse, son los primeros que se desaniman cuando Satanás empieza a perseguirlos. Otros que yo ni pensaba que habían recibido algo de Dios, por la falta de señales externas de gozo y excitación; han sido perseverantes en su fe y han llegado a ser poderosos cristianos.

La Necesidad de un Plan de Acción

Nadie llega muy lejos en la vida de fe a menos que tenga un plan definido de acción. No podemos depender solamente de la inspiración del momento para hacer cosas. La inspiración es buena para darnos motivación y energía en el seguimiento de la visión que queremos alcanzar; pero no es suficiente para darnos la determinación y el aguante necesario, y para perseverar en medio de todas las circunstancias negativas que siempre se oponen al sueño de una persona. Se requiere, además de la inspiración, un plan definido de acción para que podamos terminar lo que en un momento empezamos con gozo.

Jesús hablo de la importancia del planeamiento en la vida de sus discípulos. En Lucas 14:28-30 dice: *"Porque ¿quién de vosotros, queriendo edificar una torre, no se sienta primero y calcula los gastos, a ver si tiene lo que necesita para acabarla? No sea que después que haya puesto el cimiento, y no pueda acabarla, todos los que la vean comiencen a hacer burla de él".* Esta es la historia de muchos proyectos dejados a la mitad. Así mismo le acontece a aquella persona que empieza con muchas ganas y entusiasmo a hacer algo, pero no llega al final. La razón es la falta de tener un plan definido de acción.

Cada vez que te embarques en una nueva aventura de fe, recuerda que te vas a encontrar con tremendos retos. Jesús te recomienda que te sientes y calcules si tienes los recursos para terminar. Necesariamente esto no se refiere a que tengas todos los recursos asegurados antes de comenzar; pero sí que tengas tan siquiera los recursos de una fe y una determinación fuerte que te capaciten para terminar tu torre. También debes tener un plan para enfrentar tus desafíos, y no solo depender de la inspiración del momento.

Quiero darte un ejemplo de mi vida personal. Cuando Dios me llamó al ministerio yo planeé para perseverar en el mismo hasta el fin de mi vida. Como hijo de pastor que soy, yo sabía muy bien que me encontraría con tremendos desafíos en el desempeño de mi ministerio. Hice un plan para triunfar porque no quería ser un número más en la lista de los fracasados. Lo primero que decidí es que más nunca regresaría a la escuela a enseñar. Un día quemé todas las naves que me podían ayudar a regresar si algo no funcionaba bien. Además de esto, me determiné que no sería un predicador del "montón", y haría todo lo que estuviera a mi alcance para tener un ministerio de excelencia. Yo sabía que esto conllevaba una vida de negación propia, de búsqueda continua de la Palabra, de oración y ayuno, y de determinación y fe para poder lograr todos mis sueños y visiones.

No Tengas un Plan B.

Una regla para alcanzar el éxito cuando te enfrentas a los desafíos de la vida es nunca tener un plan alterno al primero que iniciaste. Nunca he conocido a alguien que haya logrado algo de significación en la vida natural o espiritual, con la mentalidad que si esto no le funciona siempre tiene otra alternativa a la mano. A esto yo le llamo tener un plan B.

Cuando me casé con Minerva solo tenía un plan, permanecer con ella hasta que Cristo (en su venida) o la muerte nos separe. Nunca tuve el plan B de divorcio, en caso de que no nos comprendiéramos o no fuéramos compatibles. Esto incluía que tampoco yo tenía el plan B de dormir en el sofá si había un disgusto. Hoy me doy cuenta que esta decisión ha sido lo que nos ha dado la victoria en el matrimonio.

¡Cuántos hoy entran al ministerio con la idea de que si no les funciona como ellos se imaginaban, siempre pueden regresar a su profesión o a su vocación anterior! No te sorprendas que estos son los mismos pastores que nunca establecen un ministerio fuerte que impacte a la sociedad. El problema del plan B es que nos provee una vía de escape para cuando las cosas se pongan fuertes. Aparentemente el plan B es una forma honorable para justificar un fracaso. El hombre y la mujer que corren tras el éxito y el progreso solo tienen un plan de acción. Se han sentado, han meditado, han estudiado los pro y los contra; y se han decidido a seguir ese plan con todas las energías de su ser.

Sigamos el ejemplo de Jesús, que cuando el diablo le ofreció un plan B en el Monte de la Tentación, Jesús se negó a aceptarlo. Jesús sabía que el único plan para reconquistar los reinos de este mundo para Dios era por medio de la cruz. Por eso reprendió a Satanás cuando éste le sugirió el plan B: *"Todo esto te daré si postrado me adorares"* ((Mateo 4:9). Cuídate de esos momentos de presión espiritual cuando sea tu mente, tu carne, la gente, o el diablo; te sugieran que cambies del plan de acción que tú sabes que Dios un día te dio, y El es más que suficiente para llevarte hasta que veas su feliz realización. ¡Aleluya!

¿Estás Dispuesto a Dar el Todo por el Todo?

En un capítulo anterior mencioné a vuelo de pájaro esta expresión. He llegado a la conclusión que la motivación que mueve a muchas personas a seguir un plan B, es que no están dispuestos a dar el todo para darle continuidad a su primer plan de acción. Si quieres lograr la realización de una visión no puedes escatimar en esfuerzo, dedicación, tiempo y dinero.

¿Estás dispuesto aun a perderlo todo para ganarlo todo? No olvides que aun el grano de trigo no lleva fruto si primero no es echado en la tierra y muere. Solo triunfan en la vida los que no le tienen miedo a perder y a morir. Ellos siempre triunfan porque saben que después de la muerte viene la resurrección, después de la siembra viene la cosecha, después de la noche viene la mañana, y después de la humillación viene la exaltación.

Si notas que hablo mucho acerca del ministerio es porque casi no puedo evitarlo. Esta es mi vida y es el campo que conozco mejor. He observado cómo líderes quieren que sus seguidores den todo por su visión, pero ellos no son los primeros que están dispuestos a dar todo lo que se requiere para que su plan de acción se cumpla. Quieren construir un gran templo, pero ellos no tienen la mejor disposición de ser los primeros en hacer un sacrificio económico para conseguirlo. Mi opinión acerca de esos líderes es que nunca van a llegar a hacer nada de significación en el Reino de Dios.

Para poder vencer todos los desafíos que se oponen a tu plan de acción tienes que estar dispuesto a agotar todos los recursos, explorar todas las avenidas, y hasta entregar tu propia vida en el altar del sacrificio. No te asustes amigo, que no estoy hablando necesariamente del martirio; me refiero a una actitud que te lleva a dar las mejores energías de tu vida para conseguir el producto deseado. Siempre que oigo a alguien que dice que anda tras una visión, me fijo en sus acciones correspondientes. Si toma las cosas muy despacio y siempre está siguiendo la línea de menor resistencia, sé por experiencia que nunca va a ver la total realización de su visión.

Persistencia Hasta Llegar

Nunca la pereza, la negligencia y el doble ánimo han sido las características de un vencedor de desafíos. Además de la fe se necesita la persistencia. La persistencia es esa actitud de perseverancia que te arma de denuedo para continuar en un curso de acción a pesar de todos los obstáculos que se te aparezcan en el camino. La Biblia habla de esta virtud y se refiere a ella por el término **paciencia**.

El libro de Hebreos nos dice: *"Porque os es necesaria la paciencia, para que habiendo hecho la voluntad de Dios, obtengáis la promesa"* (Hebreos 10:36). La persistencia en un curso de acción es necesaria para poder obtener la promesa.

La persistencia nos capacita para no ser flojos y negligentes en la dedicación a la realización de la visión que nos hemos propuesto. Permíteme citarte otra escritura de Hebreos 6:11,12: *"Pero deseamos que cada uno de vosotros muestre la misma solicitud hasta el fin, para plena certeza de la esperanza, a fin de que no os hagáis perezosos, sino imitadores de aquellos que por la fe y la paciencia* (persistencia) *heredan las promesas"*.

La palabra **solicitud** significa dedicación y entrega a un propósito determinado. Cuando una persona tiene persistencia se dedica a su plan de acción hasta el fin. Bajo ninguna circunstancia puedes permitir la pereza en tu vida, si quieres conseguir lo que te has propuesto. Ármate de esas dos virtudes poderosas: fe y paciencia, y llegarás a heredar tu promesa. Tu promesa es la visión que te has determinado perseguir hasta el fin.

Me he dado cuenta que la resistencia mental y espiritual de una persona crece con la persistencia. La mente es un músculo que se fortalece por medio del uso. Si eres persistente en el ejercicio físico, tus músculos físicos adquirirán una resistencia que los capacita para hacer cosas que no podían hacer antes. En la misma forma, tenemos que ejercitar la mente y el espíritu por medio de los mismos desafíos que se nos presentan.

Mientras más persistes en un curso de acción, de seguro que más resistes. Hoy mi espíritu y mi mente están preparados para confrontar cosas que años atrás me hubieran destruido espiritual y emocionalmente. Por lo tanto, no te frustres si las cosas no se te logran rápidamente. Sigue perseverando en el curso de acción que te has propuesto, olvida el plan B, y ármate de persistencia. ¿Cuál será el resultado? Tu persistencia en tu fe y tu acción tarde que temprano vencerán la resistencia de tu desafío.

Decisiones, Decisiones, Decisiones

Cada vez que te enfrentas a un desafío tienes que estar dispuesto a hacer decisiones de peso. Ten en mente que tus decisiones de hoy afectarán los resultados de mañana. La indecisión nunca te puede ayudar a conquistar, porque la indecisión te lleva siempre a un tipo de inercia espiritual y mental. La indecisión es resultado de ser una persona de doble ánimo.

Santiago nos dice cuál es el problema de las personas de doble ánimo: *"El hombre de doble ánimo es inconstante en todos sus caminos"* (Santiago 1:8). La inconstancia es resultado de una mente dividida. La expresión "doble animo" puede también significar "mente dividida". Una mente dividida es una mente donde reina la confusión, y nunca es capaz de ser perseverante en un curso de acción.

Oí a alguien una vez decir que es preferible tomar una decisión equivocada que no tomar ninguna decisión. Lo que él quiso decir es que si tomas una decisión errónea, por lo menos tomaste una acción.

Aunque yo no aconsejo mucho tomar este tipo de decisiones, lo cierto es que por lo menos el que las toma descubre algo que no funciona. La segunda vez puede acertar y dar en el blanco con seguridad. Muchos quizás aconsejan extrema cautela antes de tomar decisiones. Yo creo en orar siempre antes de tomar un curso de acción; pero no creo en ser tan cauteloso de esperar que todas las condiciones se vean perfectas antes de moverme a hacer algo.

Es más fácil echarle la culpa al diablo o a otra gente por nuestros fracasos que asumir responsabilidad por los mismos. El pastor que fracasa y no pudo levantar una poderosa iglesia culpa a la gente o al diablo. El esposo que se separa de su mujer la culpa a ella o quizás a la suegra. La verdad del asunto es que al fin de cuentas ni Dios es responsable de tu éxito o fracaso.

Para mí el logro de mis metas depende en gran medida de ser lo suficiente maduro para tomar decisiones, correr con ellas, y no cambiar de curso solamente porque hay problemas y desafíos. Deja de culpar a otros porque no prosperas, deja de quejarte de la sociedad, echa a un lado tus amarguras del pasado; y toma hoy una decisión firme que vas a cambiar el destino de tu vida. Después de tomar esa decisión, lo próximo será mantener ese curso de acción hasta que llegues al puerto de tu éxito.

"Pasemos al Otro Lado."

Tengo una palabra de Dios para ti que estás caminando hacia tu destino, pero quizás te estás enfrentando a desafíos que amenazan tu travesía hacia el éxito. No te dejes confundir por la apariencia de las cosas, o por la voz del enemigo que te dice que estás sólo en tu lucha. Te hago una pregunta de mucho peso: ¿Cuándo empezaste en este caminar de fe, lo hiciste porque tenías una palabra de Dios y porque sabias que Dios estaba contigo? ¿Qué te hace pensar que ya esa palabra no es válida, o que Dios no está contigo? Es muy posible que las circunstancias visibles y los sentimientos del momento te han separado, tanto de la Palabra que Dios te dio como de la realidad de su presencia.

Ahora viene a mi mente un evento en la vida de los discípulos de Jesús (Marcos 4:35-41). Una noche después de un largo día de ministerio Jesús le dijo a sus discípulos: *"Pasemos al otro lado".* Inmediatamente los discípulos se subieron con Jesús a la barca y comenzaron la travesía hacia el otro lado del mar. El relato registra que Jesús se fue a dormir a la popa del barco mientras la barca avanzaba hacia su destino. De repente se levantó una gran tempestad de viento, la cual echaba tanta agua en la barca, que parecía que ya se anegaba. ¿Qué hicieron los discípulos en esta ocasión? Jesús les había dado una palabra, *"Pasemos al otro lado"*. Si Jesús dijo *"Pasemos"* entonces vamos a pasar a pesar de....

La realidad es que se turbaron de tal manera con la tempestad que a ellos se le olvidaron dos gloriosas realidades, que es lo que siempre nos asegura la victoria ante los desafíos de la vida. Ellos olvidaron, primero, la palabra de Jesús *"Pasemos al otro lado"*, y segundo, olvidaron la presencia de Jesús en el barco. ¿Qué hicieron ellos ante el desafío de esta tormenta? Lo mismo que hacemos la mayoría de nosotros; culparon al Maestro de que El no los estaba cuidando en su momento de crisis y necesidad. Es cierto que

Jesús se levantó y les resolvió su situación, pero inmediatamente los reprendió por su falta de fe.

La lección de esta historia es que si hemos empezado una carrera de fe sabiendo que fue Dios quien nos dio la promesa de éxito, y que El empezó con nosotros; ¿por qué ahora turbarnos porque vino una tempestad y se nos está llenando el barco de agua? Haz lo que Cristo esperaba que sus discípulos hicieran en circunstancias semejantes. Levántate en fe y recordando dos realidades: (1) **que Cristo te dio la palabra para tu éxito**, y (2) **que El está en el barco contigo**; reprende la tempestad y declara la Palabra de Dios sobre tu situación, para que llegues a puerto seguro.

Esto es lo que se requiere para mantener tu curso de acción hasta que alcances tu destino. Los desafíos y problemas no van a faltar, pero recuerda las palabras de Jesús: *"He aquí yo estoy con vosotros todos los días hasta el fin del mundo"* (Mateo 28:20). De lo único que tienes que asegurarte es de que conoces bien la Palabra de Dios, y de que Cristo está contigo en el barco de la vida. Aunque no lo veas ni lo sientas, la promesa que mencionamos arriba es real. Para esos momentos que no ves a Cristo ni sientes su presencia es que tienes que hacer lo que te voy a decir en el próximo capítulo.

Capítulo 7

VIENDO LO INVISIBLE

Por la fe (Moisés) dejó a Egipto, no temiendo la ira del rey; porque se sostuvo como viendo al Invisible.

Hebreos 11:27

Los creyentes nos movemos en dos mundos, el mundo natural y el mundo espiritual. En el mundo natural se perciben las cosas por medio de los cinco sentidos, pero no podemos hacer lo mismo en el mundo espiritual. Cometemos un gran error si tratamos de recibir las cosas del mundo espiritual por medio de la visión física. La Biblia nos dice que por fe andamos, no por vista; dándonos a entender que el caminar de fe pertenece a una dimensión diferente a la de los cinco sentidos. Esto no implica de ninguna manera que el caminar de fe es un caminar a ciegas. Es cierto que no andamos por vista, pero esto se refiere a lo que miramos con los dos ojos del cuerpo.

El ser humano esencialmente es un ser espiritual, dotado de una mente y habitando en una casa que se llama el cuerpo. El espíritu del hombre es la verdadera persona. Todos los cinco sentidos que tiene la persona en lo físico son una pobre imitación de los sentidos que tenemos en la parte espiritual. El espíritu del hombre tiene visión, audición, tacto, etc. Para tocar las cosas materiales se requieren los cinco sentidos del cuerpo; pero para tocar las cosas espirituales se requieren sentidos espirituales.

Repito que cuando Pablo nos dice que no andamos por vista, él se refiere a la vista física. El mismo Pablo nos dice en otra porción de la Biblia: *"No mirando nosotros las cosas que se ven, sino las que no se ven"* (2 Corintios 4:18). ¿Cómo es que podemos mirar algo que no se ve? Este algo que no se ve con los ojos naturales, podemos mirarlo con los ojos del espíritu.

Para que nadie crea que esto es nueva era o un concepto de una religión oriental; quiero darte una prueba de que Pablo creía en el concepto de la visión espiritual. En su carta a los Efesios Pablo hizo esta declaración: *"Que el Dios de nuestro Señor Jesucristo, el Padre de gloria, os dé espíritu de sabiduría y revelación en el conocimiento de El, alumbrando los ojos de vuestro entendimiento"* (Efesios 1:17,18).

La forma más correcta de traducir la frase *"los ojos de vuestro entendimiento"* sería *"los ojos de vuestro corazón, o los ojos de vuestro espíritu"*. El espíritu del hombre que ha nacido del Espíritu Santo es capaz de percibir cosas espirituales que no se pueden concebir con los ojos del cuerpo. Por esta razón Pablo oraba para que Dios le abriera los ojos espirituales a los hermanos de la iglesia en Éfeso.

Las Cosas Eternas son Invisibles.

Una de mis escrituras favoritas la encontramos en 1 Corintios 2:9. *"Antes bien como está escrito: Cosas que ojo no vio, ni oído oyó, ni han subido en corazón de hombre, son las que Dios ha preparado para los que le aman"*. De acuerdo a esta poderosa escritura, hay otro mundo que va más allá del mundo de los cinco sentidos, donde Dios ha preparado hermosas y poderosas cosas para aquellos que le aman. Dios, como un padre que es, ha preparado muchas bendiciones que son la herencia espiritual de sus hijos. ¿Por qué entonces vivir como mendigos cuando somos hijos de un Rey?

La dificultad de nuestra fe estriba en que todas aquellas cosas que Dios tiene para sus hijos no están al alcance de nuestros cinco sentidos. Es cierto que hemos sido bendecidos con toda bendición en los lugares celestiales, pero siempre que nos quedemos en lo natural nunca podremos disfrutarlas. El error que cometemos es que pensamos, que porque estas cosas no se ven son menos importantes que las cosas que se ven. Por eso observamos como los pecadores son esclavos de las cosas que se ven, y se les olvida que el mundo y sus cosas pasan, pero el que hace la voluntad de Dios permanece para siempre.

Si pudiéramos entender a cabalidad la riqueza de este poderoso verso que he mencionado, nos daríamos cuenta que prácticamente ya todo lo nuestro está preparado por Dios. Es cierto que estas cosas no las puedes ver con tus ojos naturales, no las oyes con tus oídos, ni aun en ocasiones las entiendes en tu corazón; pero la realidad es que ya Dios las ha preparado para aquellos que lo aman. Ahora lo que se requiere es la asistencia del Espíritu Santo, para que El nos revele esas cosas y podamos ser participantes de ellas.

Nunca Corras Detrás de Cosas.

Hay un gran peligro, el cual corremos aquellos que sabemos que es la voluntad de Dios darnos todas las cosas que pertenecen a la vida y a piedad. Nunca quites los ojos de Jesús para ponerlos en las cosas que ya El prometió darte. El mismo Jesús nos advirtió que el secreto de recibir todas las cosas es buscando primero su Reino. *"Mas buscad primeramente el Reino de Dios y su justicia, y todas las demás cosas os serán añadidas"* (Mateo 6:33). ¡Qué difícil se nos hace entender esto! Luchamos, trabajamos, peleamos, y saltamos por encima de quien sea para conseguir cosas, y al fin del asunto siempre terminamos frustrados.

¡Qué diferente es el plan de Dios para bendecirnos! Dios te invita a que corras detrás de El, que lo ames con todo tu corazón, con toda tu alma, con toda tu fuerza, y que hagas de su Reino la prioridad de tu vida. Si haces esto, entonces todas las cosas te serán añadidas, y recuerda que es la bendición de Dios la que enriquece y nunca añade tristeza con ella. Esto concuerda con lo que dijo Pablo, que estas cosas preparadas son para aquellos que aman a Dios de todo corazón, y no tienen otros dioses.

Amigo, el caminar de fe es un caminar en reposo. Cesa de todos tus afanes, y recuerda que nadie puede añadirle a su estatura un codo como dijo Jesús. Deléitate en Jehová con todo tus afectos y El te concederá las peticiones de tu corazón. No te hagas un esclavo de la búsqueda del éxito, hazte esclavo de Aquel que puede hacer todas las cosas mucho más abundante de lo que pedimos o entendemos. Un día de esto, cuando menos lo pienses, todas aquellas cosas que tu corazón había deseado estarán ahí, no porque tú las buscaste; sino porque *vendrán sobre ti todas estas bendiciones, y te alcanzarán, si oyeres atentamente la voz de Jehová tu Dios* (Deuteronomio 28:2).

¿Cómo Puedo Ver lo Invisible?

Te garantizo que en tus fuerzas naturales nunca podrás percibir verdaderamente las cosas invisibles que Dios ha preparado para ti. 1 Corintios 2:10 nos dice que Dios nos revela esas cosas por medio del Espíritu Santo. Esto es así porque enseguida añade Pablo en el verso 11 que nadie conoció las cosas de Dios, sino el Espíritu de Dios. Antes de poder recibir estas cosas que Dios ha preparado para nosotros, tenemos que deshacernos del espíritu del mundo que opera solo a base de lo que percibimos por los cinco sentidos. Cuando nos deshacemos de todo egoísmo y todo amor a las cosas del mundo, entonces el Espíritu Santo nos va a revelar aquellas cosas que Dios ha preparado para los que le aman.

Por eso es que mientras estemos mirando las cosas que se ven (las cosas de este mundo), no podemos ver las cosas eternas. Dios ha construido un sistema para impedir que personas con la actitud incorrecta reciban sus cosas. Mientras una persona tiene la mirada puesta en las cosas de la tierra, está completamente incapacitada de recibir por revelación las cosas mejores que Dios ha preparado para los que le aman. La habilidad para ver lo invisible es impedida cuando tenemos la motivación incorrecta, y cuando corremos detrás de las cosas, creyendo que la adquisición de las mismas es lo que nos va a hacer felices.

Si quieres ver estas cosas que Dios ha preparado para los que le aman, pídele al Espíritu Santo que te abra los ojos del corazón. Enseguida te darás cuenta que hay un mundo superior y mejor que transciende a tus cinco sentidos. ¡Qué tragedia que en nuestro afán materialista y humanista hemos perdido recibir todo aquello que Dios tiene para nosotros, que pertenece a un orden más alto y más excelente, el orden del Reino de Dios!

El Mundo Espiritual Está Preñado.

Una de mis frases favoritas es: **"el mundo espiritual está preñado de buenas cosas"**. En el mundo espiritual hay sanidad, prosperidad, milagros y la solución a todos los problemas que afrenta la humanidad. Muchos me han mirado en forma rara cuando he dicho desde una plataforma: "Esta noche la atmósfera está cargada de sanidades y milagros". He dicho esto, no porque esté profetizando o porque oí alguna voz del cielo; he dicho esto en base a lo que la Palabra dice en 1 Corintios 2:9. Si aprendiéramos que hay algo superior a lo que vemos y oímos en lo natural, viviríamos en una dimensión de vida superior a la que hemos estado acostumbrado.

Llamémosle al mundo espiritual "La Casa de Papá". La Casa de Papá está repleta de bendiciones que están reservadas para aquellos que aman a Dios, aquellos que buscan el Reino de Dios en primer lugar, y para aquellos que tienen comunión con el Espíritu Santo. En la Casa de Papá no hay escasez de nada. Todo lo que uno pueda imaginar está ya preparado en los almacenes del cielo, solo esperando que los hijos de Dios lo reclamen. En estos almacenes hay dones, gracias, sanidades, ministerios y bendiciones que nunca han sido reclamadas por causa de la ignorancia y la incredulidad en que hemos vivido como creyentes.

Es tiempo que cambiemos nuestro concepto equivocado acerca de Dios. Dios no se opone a que tengamos cosas; El solo se opone a que esas cosas ocupen el lugar que le corresponde a El. No olvidemos que todo lo que Dios creó fue con un solo propósito, para que el hombre lo disfrutara. ¿Habrá algo que Dios le niegue a los que somos sus hijos, y los que somos sus colaboradores aquí en la tierra? La respuesta es un rotundo NO. Si no me quieres creer, por favor cree entonces la Palabra de Dios: *"El que no escatimó ni a su propio Hijo, sino que lo entregó por todos nosotros, ¿cómo no nos dará también con El todas las demás cosas?"* (Romanos 8:32).

La Necesidad de Una Visión

Es imposible afrontar los desafíos de la vida sin tener una visión definida. Me parece que la mayoría de los seres humanos viven sin una visión definida de lo que quieren en la vida. Muchas personas simplemente están esperando que la suerte los visite, o que la casualidad le toque a la puerta con una bendición inesperada. Estas son las personas que nunca estudian, nunca sueñan, nunca trabajan; y solamente viven de fantasías, pensando cómo van a gastar los diez millones de dólares que algún día se van a sacar en la lotería.

De todas las criaturas en este universo el hombre es el único ser capaz de visualizar, porque el hombre es el único ser creado que tiene la semejanza y la imagen de Dios. El hombre es un ser creativo por naturaleza. Esta habilidad para crear esta conectada con su habilidad para visualizar. La única razón por la cual el ser humano pierde su poder creativo es cuando pierde su habilidad para visualizar.

Nada es creado a menos que primero se tenga una visión de ello. Fe no es otra cosa que tener una visión interna de algo. Con razón la mejor definición de fe es *"Fe es la certeza de lo que se espera, la convicción de lo que no se ve"* (Hebreos 11:1). La razón principal por la cual la fe de muchos no funciona, es porque es una fe vaga y superficial que no está fundamentada en una visión. Es tu visión lo que le da cuerpo a tu fe. Cuando hablo de visión me estoy refiriendo a una visualización interna que nos define claramente qué es lo que queremos recibir de Dios.

La mejor fuente para recibir visión es la Palabra de Dios. La Biblia contiene todas las promesas de Dios para sus hijos. Acércate a la Biblia no como un manual religioso, sino como el material de Dios para darte una visión. Cada vez que leas la Biblia pídele al Espíritu Santo que te preñe con la visión de Dios para tu vida. Confiesa atrevidamente con tu boca todo aquello que Dios ha prometido para ti en su Palabra. Cada vez que tú confiesas las promesas de Dios en voz alta, no estás haciendo otra cosa que dibujando una visión definida en tu corazón de lo que tú quieres que Dios haga por ti.

Visualiza el Producto Terminado.

La verdadera fe se caracteriza por la confesión de tu boca. Yo sé cuál es tu visión por lo que tú hablas. No me toma mucho tiempo determinar cuál es la visión de un individuo, si puedo escucharlo por algunos minutos. ¿Cómo yo se cuál es su visión? Jesús dijo que de la abundancia del corazón habla la boca. Si queremos vencer todas los desafíos que llegan a nuestra vida, tenemos que aprender a controlar nuestra lengua, para hablar no lo que está sucediendo, sino lo que queremos que suceda.

La verdadera fe siempre llama las cosas que no son como si ya fueran. Es una realidad que primero la visión se forma dentro del hombre para después llevarse a cabo afuera. La visión es para el hombre de fe lo que el plano es para el constructor. Antes del constructor edificar ese magnífico edificio, tuvo que diseñar un plano con todas las especificaciones de la nueva construcción. Nadie llama loco al arquitecto que diseñó el edificio porque le puso nombre a todas las divisiones de esa casa o edificio.

Es lo mismo en lo espiritual. Primero diseñas un plano en tu corazón de lo que quieres que Dios haga por ti, y después lo ves realizado en lo natural. Tienes que ver el producto terminado en tu espíritu antes de verlo empezado en lo natural. Lo importante es mantener tus ojos fijos en esa visión espiritual que te dio el Espíritu Santo. No permitas que Satanás, la gente o las circunstancias aborten tu visión. Mantén tus ojos en Jesús, el Autor y Consumador de tu fe y nunca rindas tu visión a nada que venga de afuera. Recuerda que la Biblia dice que como el hombre piensa en su corazón, así es él. Medita en este versículo que habla de cómo mantener una visión. *"Y el Dios de esperanza os llene de todo gozo y paz en el creer, para que abundéis en esperanza* [visión] *por el poder del Espíritu Santo"* (Romanos 15:13).

Tu Visión te Derrota o te Promueve.

Es una realidad que antes de poseer algo tienes que verlo. Cuando Dios quiso que los hijos de Israel entraran a poseer la tierra de Canaán le dio instrucciones a Moisés de enviar 12 príncipes para espiar la tierra. El propósito de Dios al hacer esto fue preñarlos a ellos con una visión de la abundancia y riquezas que está tierra ofrecía para el pueblo de Dios. Se suponía que esta visión los moviera a ellos a un nuevo nivel de fe y determinación para conquistar lo que Dios les había entregado. Dios esperaba que al ellos comparar las riquezas de esta nueva tierra con la esterilidad del desierto; vinieran de regreso con un nuevo espíritu de fe y conquista para tomar lo que Dios les ofrecía.

¿Qué sucedió que esta no fue la forma como se desarrollaron los acontecimientos? ¿Por qué 10 vinieron con un informe negativo? Porque recibieron una visión negativa, que no solo los afectó a ellos, sino que contaminó a toda la congregación. El problema de estos hombres es que no permitieron que

Dios los preñara con una visión de fe y conquista. Estos 10 hombres tuvieron la opción de decidir la visión que los iba a dirigir. Trágicamente la visión que predominó fue: *"También vimos allí gigantes, hijos de Anac, raza de los gigantes, y éramos nosotros, a nuestro parecer como langostas; y así les parecíamos a ellos"* (Números 13:33).

La razón por la cual hablaron mal de la tierra era porque su visión estaba equivocada. En vez de ver la tierra de tremendas riquezas que vieron Josué y Caleb, lo que vieron fue una tierra que se tragaba a los moradores (Números 13:32). No podemos decir que estos hombres fueron derrotados por los gigantes de Canaán; ellos se derrotaron a ellos mismos por la visión que tenían de ellos mismos. Espero no enojarte por lo que voy a decir; pero la mayor parte de la gente se derrotan ellos mismos sin ayuda de Satanás y sus demonios.

Con una visión de *"langostas"* nadie podrá conquistar nada, y nunca llegaremos al lugar que Dios ha preparado para nosotros. No te dejes intimidar y amedrentar por las cosas negativas que miras fuera de ti. Mira a las cosas que Dios ha preparado para ti. Asegúrate que esas cosas están bien adentro de tu corazón y que no tienes una visión de derrota, sino una visión de fe y conquista. No seas del grupo de los 10 que impidieron que toda una nación subiera a recibir su herencia espiritual.

Con una visión negativa nunca llegaremos a poseer nuestras posesiones. Si quieres tocar lo invisible y poseer lo imposible, tienes que preñarte de la visión de Dios, no de la visión de las circunstancias. Recibe el espíritu de Caleb y Josué que vieron las mismas circunstancias, pero las vieron con la perspectiva correcta. Ellos vieron los gigantes como una oportunidad para Dios manifestar su poder y para ellos conquistar lo que habían visto. Su actitud era el reflejo directo de su visión. Su visión era una visión de confrontar los desafíos y terminar siendo más que vencedores.

Por eso ellos dijeron lo que tú y yo debemos decir cada vez que tengamos que confrontar nuestro desafío: *"La tierra por donde pasamos para reconocerla, es tierra en gran manera buena. Si Jehová se agradare de nosotros, El nos llevará a esta tierra, y nos la entregará; tierra que fluye leche y miel.....Porque nosotros los comeremos como pan; su amparo se ha apartado de ellos; y con nosotros está Jehová; no los temáis"* (Números 14:9).

Esta es la actitud que siempre gana, porque la gente que tiene esta actitud son los que tienen el favor de Dios. ¿Qué pasó con los diez? Recibieron exactamente lo que visualizaron y confesaron; murieron de plaga delante de Jehová. Muy diferente a Josué y Caleb que fueron los únicos de aquella generación que llegaron a poseer lo que su pie pisó, lo que su corazón visualizó y lo que su boca confesó. **¡Gloria a Dios! por una visión que nunca se rinde a los problemas, desafíos y circunstancias de la vida.**

Capítulo 8
HÁBLALE AL MONTE

¿Quién eres tú, oh gran monte? Delante de Zorobabel serás reducido a llanura; él sacará la primera piedra con aclamaciones de: Gracia, gracia a ella.

Zacarías 4:7

En el capítulo anterior hablamos de la necesidad de ver las cosas invisibles, y no ser controlados por la información que recibimos por medio de los cinco sentidos. Algo que derrota a los creyentes es la tendencia natural de confesar las cosas que vemos con los ojos físicos, en vez de confesar las cosas que creemos en el corazón. Es evidente que lo que hablamos es resultado directo de lo que vemos y creemos. Vuelvo a repetir que lo que derrota a la gente que se enfrenta a desafíos, no son los desafíos, sino la reacción hacia los mismos.

Una vez Jesús se encontró con una higuera y cuando fue a buscar fruto en ella no encontró ninguno. Ante la presencia de sus discípulos Jesús le habló a la higuera y le dijo que nunca jamás más nadie comería fruto de ella. Al otro día cuando pasaron cerca de la higuera Pedro notó cómo la higuera sea había secado desde las raíces. Sin ningún otro tipo de explicación Jesús simplemente les dijo: *"Tened la fe de Dios"*. Enseguida Jesús explicó cómo funciona la fe de Dios con las siguientes palabras: *"Porque de cierto os digo que cualquiera que dijere a este monte: Quítate y échate en el mar, y no dudare en su corazón, sino creyere que será hecho lo que dice, lo que diga le será hecho"* (Marcos 11:23).

Jesús nos habla en esta escritura del poder que tenemos para remover montes y echarlos hasta el fondo del mar, si usamos la fe de Dios. Necesariamente Jesús no está hablando de un monte natural (aunque para Dios nada es imposible); cualquier problema, dificultad o circunstancia a la cual nos enfrentamos en el diario vivir, puede ser considerado un monte. Los montes son los desafíos que la vida o Satanás pone en el medio para impedir nuestro avance espiritual, social, profesional o financiero. Recuerda que fueron los obstáculos los que derrotaron a los diez espías que regresaron de la tierra prometida con un informe negativo.

Lo que tú dices acerca de las circunstancias es lo que te va a dar o a negar la victoria cuando te enfrentes a tu desafío. Nos engañamos a nosotros mismos si creemos que podemos hablar y glorificar nuestros problemas, y a la misma vez recibir respuesta a nuestras oraciones. Es de notar que antes de Jesús hablar de orar con fe, primero habló de hablar con fe. Creo que la razón por la cual hay tanta oración que se está quedando suspendida en el aire es porque durante el tiempo de la oración creemos lo que oramos, pero al regresar a la vida natural contradecimos con nuestras palabras lo mismo que habíamos orado.

Una mentira que Satanás nos ha hecho creer es pensar que hay que ser una persona súper-espiritual para poder vivir una vida de victoria. Jesús nos dijo que **"cualquiera"** le puede hablar al monte. Si este principio espiritual es usado por los hombres no salvos y les da resultado; ¿cuánto más nos debe dar resultados a los que somos hijos de Dios y tenemos el poder de su Espíritu morando en nosotros? Saca de tu vida ese espíritu de baja estima y de despreciarte a ti mismo. Recuerda que como hijos de Dios se nos ha dado una medida de fe para que podamos vencer al mundo.

Hay Poder en tu Lengua.

La Biblia abunda en referencias acerca de la influencia de la lengua en la vida de las personas. Ignorar estas verdades del poder de la lengua y lo importante que es hablar siempre en armonía con la Palabra de Dios, equivale a suicidio espiritual. Es fácil echarle la culpa al diablo o a la gente por la situación en que uno se encuentra, pero la realidad es otra. La Biblia dice que *la muerte y la vida están en poder de la lengua, y el que la ama comerá de su fruto* (Pro. 18:21). Las palabras que salen de tu boca son las que te dan vida o te causan destrucción. Nadie será más afectado con las palabras que el que las habla; por eso dice que *comerá de su fruto.*

Déjame mencionarte una vez más el ejemplo de los 10 espías. No fueron los gigantes de la tierra prometida los que los mataron a ellos. Por razón de sus palabras negativas, acusando de que Dios los quería matar al enfrentarlos a tan semejante desafío, terminaron muertos de plaga en el desierto. Ese día ellos comieron el fruto de su lengua, destrucción y muerte. ¡Qué diferente fue con Josué y Caleb!, que por muchos años comieron el fruto de las palabras de fe que hablaron.

Una de las disciplinas más importantes para todo creyente es aprender a refrenar su lengua. Esto no solo se refiere a dejar de hablar groserías y obscenidades;

sino a sacar del vocabulario toda palabra que tenga noción de muerte, pecado, miedo, enfermedad, fracaso y pobreza. Muchas veces he predicado que los cristianos se ahorcan solos, y la soga que es responsable de su suicidio espiritual, físico y financiero es la lengua. No se nos debe olvidar que el hombre está hecho a la semejanza de Dios y puede crear con su lengua, sea un mundo de maldad, muerte enfermedad y pobreza; o sea un mundo de justicia, amor, paz, salud y prosperidad

El Poder de las Palabras

Las palabras que salen de la boca de un ser humano son más que ideas y conceptos. El hombre fue creado por Dios como un ser espiritual, y por lo tanto posee muchas de las características de Dios. Una de esas características es el poder del lenguaje, con el cual el ser humano comunica, no solo sus ideas, sino sus sueños, sus visiones y aun su propio espíritu. Por eso Jesús dijo que las palabras que El hablaba son espíritu y son vida (Juan 6:63). La razón por la cual las palabras de Jesús son vida, es porque el espíritu de Jesús que las producía es un espíritu vivificante. Esto también es aplicable a nosotros los humanos. Las palabras que habla un hombre pueden producir vida, o pueden producir muerte de acuerdo al estado del espíritu de ese hombre.

Llegamos entonces a la conclusión que toda palabra es espíritu. Cada vez que hablamos, desatamos lo que hay dentro de nuestro corazón (espíritu), y con las palabras que expresamos podemos crear (dar vida), o podemos destruir (quitar vida). Por esta razón es que tenemos que cuidar nuestro corazón (lee el capítulo 9 **"Guarda tu Corazón"**), porque es un hecho probado por las palabras de Jesús y por la experiencia diaria, que de la abundancia del corazón es que habla la boca (Mateo 12:34). Palabras de adulterio y fornicación producirán una conducta de lujuria y perversión sexual. En el lado positivo, palabras de pureza y santidad producirán una vida de alta y respetable conducta moral.

Que las palabras tienen poder creativo está probado por las mismas Escrituras. La Biblia nos dice que el universo fue constituido por la Palabra de Dios, de modo que lo que se ve fue hecho de lo que no se veía (Hebreos 11:2). Dios no creó este perfecto mundo solamente por medio del pensamiento o por medio de su visualización del producto terminado. Sí es cierto que primero El lo pensó, lo visualizó y lo planeó; pero el proceso de creación comenzó cuando El habló lo que había en su espíritu. Como en su espíritu había vida, orden, y belleza; eso fue lo que se manifestó cuando Dios habló para que este mundo viniera a la existencia.

En el primer capítulo de Génesis encontramos un comienzo de desorden, vacío, y tinieblas, pero por encima de todo había algo muy importante; el Espíritu de Dios se movía sobre la faz de las aguas (Génesis 1:2). Es de notar que aunque el Espíritu estaba presente, eso no cambió las circunstancias presentes que mencionamos antes. Fue cuando dijo Dios: ***Sea la luz,*** que empezó ese glorioso proceso de recreación de la tierra.

En el primer capítulo de Génesis encontramos la frase **dijo Dios** nueve (9) veces para sobre enfatizar que todo surgió porque Dios lo confesó. El capítulo termina con la frase **vio Dios.** La lección que podemos aprender es que a menos que lo digas, nunca lo veras.

Si el mismo Dios tuvo que decirlo para verlo, entonces tú y yo tenemos que hacer lo mismo.

Es posible que estés pensando lo siguiente: "Eso no se aplica a mí porque yo no soy Dios". Entonces las palabras de Jesús no son verdad en Marcos 11:23, cuando El dijo que lo que cualquier hombre diga le será hecho. La diferencia está en que tú selecciones lo que te será hecho. ¿Seremos como Dios que usó sus palabras para traer orden, vida y belleza a la creación; o seremos como Satanás que por medio de sus palabras de rebelión a Dios trajo desorden, vacío y tinieblas? No importa lo que alguien pueda cuestionar esta realidad, a cada ser humano le será hecho lo que dice; tendrá un mundo hermoso y ordenado de acuerdo a sus palabras buenas, o por medio de sus palabras malas traerá caos a lo que pudo ser un mundo de armonía, salud, y prosperidad.

Llamando las Cosas que no Son.

Lo que dije en la sección anterior fue con el propósito de prepararte para llegar a entender una de las verdades más controversiales de la Biblia. Te quiero advertir algo antes de explicarte esta verdad. Esta verdad puede cambiar radicalmente tu vida, y tu forma de enfrentarte a los desafíos que se te presentan; pero a la misma vez prepárate para ser mal comprendido por aquellos que creen que todo lo que tiene que ver con fe, confesión, y visualización viene de la Nueva Era. No se les ha ocurrido a estos críticos que posiblemente estas verdades fueron robadas de la Biblia, y a la misma vez distorsionadas por estas falsas enseñanzas que son una amenaza al verdadero cristianismo.

La Biblia nos dice en Romanos 4:17 que Dios es el que llama las cosas que no son como si fuesen. Estas palabras las encontramos en el contexto del relato de Pablo acerca de la vida de Abraham. Abraham fue llamado por Dios para empezar una nueva nación que sería el instrumento de Dios para traer su Hijo al mundo. El aparente error de Dios fue escoger a un hombre que era ya viejo y estaba casado con una mujer estéril.

¿Cómo Dios resolvió esta situación? Haciendo lo que El hizo en el principio, llamando las cosas que no son como si fueran. En el principio de Génesis Dios llamó la luz en medio de la oscuridad. En el caso de Abraham, Dios le cambió el nombre. El nombre original de este hombre era Abram (padre exaltado), pero Dios se lo cambió a Abraham (padre de una multitud) y Dios le explica por qué. *"Porque te he puesto por padre de una muchedumbre"* (Génesis 17:5).

¿Estaba Dios mintiendo porque le llamó a este hombre padre de una muchedumbre? Y lo más sorprendente es que Dios le dijo: *"Te he puesto"*, no le dijo: "Te voy a poner". Desde el punto de vista de Dios ya Dios veía todo realizado en la vida de Abraham antes de El haber tenido un hijo. **Básicamente esto es fe, llamar las cosas que no son antes que sean, para que un día lleguen a ser**.

¿Por qué Dios podía hacer esto? Porque El tenía la sustancia de la fe acerca de las cosas que se esperan. Esa palabra de fe que Dios desató para cambiar la vida de Abraham salió del corazón de Dios, y al ser confesada por Dios inició todo un proceso que terminó con un hombre anciano de casi 100 años recuperando su virilidad sexual, y con una mujer de 90 años recibiendo fuerzas para concebir, y luego para dar a luz el hijo de las promesas, Isaac.

Tú y yo como creyentes tenemos la autoridad para hacer lo mismo por las siguientes razones.

Primero, somos hijos de Dios y somos participantes de su naturaleza espiritual. Segundo, tenemos el poder para pensar y confesar palabras que pueden cambiar las circunstancias; y tercero, tenemos la fe de Dios como consecuencia del nuevo nacimiento. Lo único que tenemos que hacer ahora es ser atrevidos, y enfrentarnos a cualquier desafío que la vida nos envía, y comenzar a llamar las cosas que no son como si fueran.

Si no te gusta tu estado presente y las circunstancias que te rodean, tú puedes cambiarlas por medio del consejo de Jesús. Háblale al monte, y si no dudas en tu corazón, el monte será echado al fondo del mar. Si llamando las cosas que son no ha cambiado nada, ¿entonces por qué seguir insistiendo en confesar lo que sientes y lo que ves? Atrévete a romper la barrera de la incredulidad llamando las cosas que no son como si fueran.

¿Estás enfermo y débil en tu cuerpo? Empieza hoy mismo a confesar: ***"Por las llagas de Cristo yo estoy sanado"*** (Isaías 53:5), y ***"Jehová es mi luz y mi salvación, Jehová es la fortaleza de mi vida"*** (Salmo 27:1).

¿Estás escaso de finanzas y como que no puedes salir al otro lado? Empieza a hacer lo que la Biblia dice acerca de los diezmos y las ofrendas (Malaquías 3:10), y después confiesa mañana, tarde y noche: ***"Mi Dios pues suplirá todo lo que me falta conforme a sus riquezas en gloria en Cristo Jesús"*** (Filipenses 4:19).

Hemos visto hasta ahora como la Palabra funcionó en las labios de Dios para recrear este mundo. El desafío del desorden, el vacío, y las tinieblas que había en el mundo no fueron obstáculos para que la fe de Dios no operara. También hemos oído a Jesús que nos dijo que siempre es posible echar montañas de dificultades al mar y tener lo que uno dice. ¿Por qué en muchas ocasiones entonces la fe no me funciona, y aunque me canse de hablarle a la montaña, ella se queda en el mismo lugar riéndose de mí? Posiblemente es que hay una área descuidada en tu vida, el estado de tu corazón. Vamos al próximo capítulo para que descubras cómo guardar tu corazón, para que la fe de Dios te funcione.

Capítulo 9
GUARDA TU CORAZÓN

Sobre toda cosa guardada, guarda tu corazón; porque de él mana la vida.

Proverbios 4:23

Quiero empezar este capítulo haciendo una confesión. Este capítulo no estaba en el diseño original de este libro, pero al llegar a la mitad del capítulo anterior, sentí una fuerte impresión del Espíritu Santo para añadir este tema a este libro. Muchas veces nos preguntamos por qué la fe y la confesión no le funciona a tantas personas, que aparentemente son sinceras. Aunque no tengo todas las explicaciones para todos los casos, porque cada caso tiene sus méritos propios; creo que la Biblia establece ciertos principios que no podemos ignorar si deseamos tener una vida de fe fuerte que nos ayude a enfrentar y vencer todos los desafíos de la vida.

Después de Jesús hablarnos sobre cómo echar montañas al mar, y de prometernos que lo que digamos nos será hecho; pasó a tratar un asunto que está muy conectado con nuestra habilidad para operar en fe. Hay una promesa de que todo lo que pidamos en oración creyendo que lo hemos recibido, nos vendrá. Esto está conectado con el principio de fe de llamar las cosas que no son como si fueran. Lo que no podemos olvidar es que para que todo esto funcione hay una condición. Jesús dijo. *"Y cuando estéis orando, perdonad, si tenéis algo contra alguno, para que también vuestro Padre que está en los cielos os perdone a vosotros vuestras ofensas"* (Marcos 11:25).

Lo que Jesús nos está dando a entender es que la operación de nuestra fe depende en gran medida del estado de nuestro corazón. Pablo nos dijo que el hombre cree con el corazón para justificación y con la boca confiesa para salvación. Esto significa que si hay sentido de pecado, condenación y culpa, no importa lo que digamos con la boca, la fe no va a funcionar. Aunque este principio se aplica a la salvación en primer lugar, el mismo es válido en todas las otras áreas de la vida de fe. Si el corazón no está limpio y justificado, no hay fe para salvación; pero también es cierto, que si el corazón no se mantiene limpio y justificado tampoco podemos recibir ninguna otra cosa de Dios.

El Apóstol Juan nos dice en su primera carta que es posible que la razón por la cual no recibimos cosas de Dios es porque el corazón nos reprende (1 Juan 3:20). Cuando hay pecado u otros obstáculos en el corazón, en vez del corazón creer, lo que hace es traernos convicción de que tenemos que arreglar las cosas con Dios antes de poder recibir algo de El. Pero *"si nuestro corazón no nos reprende, confianza tenemos en Dios; y cualquiera cosa que pidiéremos la recibiremos de El, porque guardamos sus mandamientos y hacemos las cosas que son agradables delante de El"* (1 Juan 3:21,22).

Limpiando el Canal de la Fe

Lo que más está afectando la fe de millares de cristianos, es el haber ignorado las instrucciones de Jesús acerca de la oración y la confesión de fe. No creas bajo ninguna circunstancia que porque confiesas 50 veces que tu desafío se va a ir al mar, eso va a suceder, a la misma vez que ignoras el estado de tu corazón. Lo que Jesús dijo con mucho énfasis es que si estas confesando para que el monte se vaya al mar y estás creyendo en oración que ha sido hecho; es mejor que tu relación con tus semejantes esté bien.

Jesús nos mandó a perdonar cuando estamos orando, a todos aquellos que nos han ofendido. ¿Por qué Jesús nos ordenó hacerlo? ¿Para humillarnos y hacernos sentir culpables ante Dios? Jesús lo hizo porque El nos ama tanto y no quiere que nuestra fe sea afectada. Jesús sabe que en un corazón que hay resentimiento y falta de perdón la fe no puede operar libremente. En otras palabras Jesús nos está diciendo: "Mi hijo, no pierdas tu tiempo hablándole al monte, y no vivas en una fantasía que tus oraciones han sido recibidas; al mismo tiempo que albergas animosidad y odio contra tu hermano".

Esto es de tan suprema importancia que es parte de la oración del Padre Nuestro: *"Y perdónanos nuestras deudas, como también nosotros perdonamos a nuestros deudores"* (Mateo 6:12). La razón por la cual la fe no opera en un corazón que no perdona es porque Jesús aseguró que *"si vosotros no perdonáis, tampoco vuestro Padre que está en los cielos os perdonará vuestras ofensas"* (Marcos 11:24). El resultado será que un corazón que no se siente perdonado por Dios pierde la habilidad para creer y para operar en fe, porque la fe siempre obra por el amor (Gálatas 5:6).

El Resentimiento Produce una Raíz de Amargura.

El corazón que no perdona es terreno fértil para una raíz de amargura. El resultado de albergar una raíz de amargura en el corazón es que la persona deja de alcanzar la gracia de Dios (Hebreos 12:15). De acuerdo a las Escrituras, gracia y fe siempre están estrechamente conectadas. Efesios 6:8 nos dice que *por gracia sois salvos por medio de la fe.* Esto significa que la gracia es la fuente de la salvación, pero la fe es el medio para recibir esa gracia que nos salva. No olvides que todas las demás cosas se reciben en la misma forma que recibimos la salvación. Así que es un error craso tratar de operar en fe sin caminar en amor, porque donde hay resentimiento y falta de perdón hay ausencia de gracia.

Lo que estoy tratando de explicar hasta ahora es que no podemos departa mentalizar la vida espiritual. No podemos tener un departamento del corazón lleno de amargura y falta de perdón, y a la misma vez tener otro departamento del corazón lleno de fe para recibir las cosas de Dios o para echar montes al mar. Quiero repetir sin temor a ser cansón en la disertación acerca de esta área; si quieres que tu fe funcione para enfrentar tus desafíos tienes que por obligación quitar todo bloqueo de amargura que haya en tu corazón. Podemos decir que la amargura bloquea tu corazón para que no operes en la fe de Dios.

Algo que he observado, es que cuando nos estamos enfrentando a ciertos desafíos de la vida es muy fácil desarrollar raíces de amargura hacia los demás. Es posible que en vez de poner la mirada en Dios para que nos ayude, la pongamos en las personas que nos rodean. En muchos casos tenemos expectativas de lo que otros pudieran hacer por uno, que no son cumplidas.

Yo sé de personas que abandonaron mi iglesia porque no le di una posición que yo nunca les había prometido. No se fueron por la puerta del frente en paz conmigo y con la iglesia. Como albergan una raíz de amargura salen por la puerta de atrás, y en el proceso tratan de contaminar a todo aquel con quien tienen algún contacto.

Me atrevo asegurar que hay personas que tienen raíces de amargura hacia Dios porque aparentemente El fue injusto hacia ellos. Podemos culpar a Dios por la muerte de un ser querido, por alguna tragedia familiar, o porque simplemente Dios no contestó mi oración exactamente como yo quería que El lo hiciera. ¿Cómo entonces podemos esperar que Dios nos dé su gracia cuando estamos aun en rebeldía contra El? ¿Cómo resolvemos esta situación para que el canal de la fe sea limpio? Un solo medio, arrepentimiento, confesión, y permitir que la sangre de Cristo limpie el corazón de todo el efecto dañino que causó la raíz de amargura.

El Corazón es la Fuente de la Vida.

El corazón es el centro de la existencia del ser humano. El corazón es más que un órgano que pompea sangre al cuerpo por medio de las venas y las arterías. Podemos decir que el corazón es la parte más profunda del ser humano, la cual la Biblia también le llama el espíritu. Hagamos una distinción entre el espíritu del hombre y el Espíritu Santo. Es cierto que el Espíritu Santo habita en el corazón del hombre salvo, pero los dos son entidades distintas. Aunque el espíritu del hombre sea salvo, eso no indica que sea perfecto. El libro de Hebreos nos dice que los espíritus de los justos son perfectos solamente cuando han salido del cuerpo de carne y están en la presencia del Señor (Hebreos 12:23).

El hombre es responsable del estado de su corazón. Por eso es que Dios empieza el proceso de salvación en el hombre pidiéndole el corazón. Fíjate que Dios no le pide la mente. *"Hijo mío, dame hoy tu corazón"*. Dios sabe que si El logra entrar y tomar posesión del espíritu del hombre, entonces podrá dominar todo su ser. Esto es de tan trascendental importancia que lo que determina el estado de una persona es lo que predomina en su corazón.

Jesús dijo: *"¡Generación de víboras! ¿Cómo podéis hablar lo bueno, siendo malos? Porque de la abundancia del corazón habla la boca. El hombre bueno, del buen tesoro del corazón saca buenas cosas; y el hombre malo, del mal tesoro saca malas cosas"* (Mateo 12:34,35). Si Dios ha tomado posesión de tu corazón entonces lo que hay en tu corazón es un buen tesoro de buenas cosas, y eso te hace a ti un buen hombre. Lo opuesto también es cierto de acuerdo a la escritura arriba mencionada.

¿Qué es lo que sale del corazón del hombre malo de acuerdo a las mismas palabras de Jesús? *"Porque del corazón salen los malos pensamientos, los homicidios, los adulterios, las fornicaciones, los hurtos, los falsos testimonios, las blasfemias"* (Mateo 15:18).

Es mi interpretación personal que esto se refiere por fuerza al estado del corazón del pecador porque en el corazón del creyente lo que reina es la santidad y la justicia. Si alguien continuamente exhibe estos frutos tenemos que llegar a la conclusión que es un hombre malo, porque lo que sale de su corazón lo delata ante Dios y ante los hombres.

Esto que he dicho hasta ahora no implica que en alguna forma la persona salva no pueda descuidar su vida espiritual y empezar a manifestar en alguna medida estas cosas. Por esta razón es que tenemos que estar en alerta para cuidar el estado del corazón. Si estas cosas están saliendo del corazón es imposible que la fe salga a la misma vez. Una misma fuente no puede producir dos clases de agua a la misma vez.

Es interesante que estas cosas salen primero por la boca antes de manifestarse, porque eso es lo que abunda en ese corazón. En la misma forma, en el corazón donde abunda la fe y la Palabra de Dios, lo que saldrá será la Palabra de Dios. Como esa palabra sale del corazón por los labios de una persona santa; por eso tiene poder para decirle al monte que se vaya al fondo del mar, y de cierto hecho será.

Sobre Toda Cosa Guardada.

La escritura que dio nacimiento a esta capítulo la hallamos en Proverbios 4:23. *Sobre toda cosa guardada, guarda tu corazón; porque de él mana la vida.* En el capítulo anterior dijimos como las palabras de Jesús eran espíritu e impartían vida. De acuerdo a Salomón la vida mana del corazón del ser humano, y por lo tanto se requiere que seamos cuidadosos con el estado del corazón. Las instrucciones son bien claras; lo más importante para todo ser humano es el estado de su corazón. Si el corazón no se cuida y no se protege entonces dejara de producir y de fluir la vida. Si no hay vida solo queda en operación lo opuesto, que es muerte.

Mientras escribo este capítulo a la una de la mañana del 17 de Julio de 1999, me pongo a pensar y a reflexionar como los seres humanos (y esto incluye la mayoría de los cristianos), se preocupan tanto por educar su mente con la mejor preparación académica, y como otros han hecho un culto del ejercicio físico, pero no le prestan atención al estado de su corazón. Me atrevería decir que si le diéramos al corazón la importancia que requiere, porque la Palabra dice que lo guardemos **sobre toda cosa**; muchos de los obstáculos a la operación de nuestra fe desaparecerían más rápido que lo que imaginamos.

Salomón no solo nos dice que guardemos el corazón, él también nos dice cómo hacerlo. Lo primero que nos dice es que pongamos la Palabra de Dios en primer lugar. *"Hijo mío, está atento a mis palabras; inclina tu oído a mis razones. No se aparten de tus ojos. Guárdalas en medio de tu corazón"* (Proverbios 4:20,21). Lo que guarda el corazón es la Palabra de Dios. Inclina tu oído a la Palabra, y mantenla siempre ante tus ojos para que así guardes la Palabra en el medio de tu corazón. Es la Palabra de Dios lo que santifica el corazón y lo libra de todas las impurezas que impiden que tu fe funcione. Este corazón guardado por la Palabra es el corazón que siempre está firme porque está confiado en Jehová (Salmo 112:7). El Salmo dice que está tan asegurado por la fe de la Palabra que no le da cabida al temor.

Hay otra cosa muy importante en el proceso de guardar el corazón. *Aparta de ti la perversidad de la boca, y aleja de ti la iniquidad de los labios* (Proverbios 4:24). En la dimensión del mundo espiritual hay una conexión muy estrecha entre la boca y el corazón. Es cierto que lo que abunda en el corazón sale por la boca; pero también es cierto que lo que la boca habla determina el estado del corazón.

Una de las formas de dañar el corazón, además de las otras que hemos mencionado en este capítulo, es por medio del mal uso de las palabras. Toda palabra que sale de la boca y que no está en armonía con la Palabra de Dios, afecta el corazón del hombre. Palabras de duda e incredulidad producirán un corazón de incredulidad. No olvides que tu lengua es como una pluma de escribiente muy ligero. Lo que tú hablas se convierte en el depósito de tu corazón, y se convertirá en tu mejor amigo o en tu peor enemigo.

Por eso es el énfasis de que oigas la Palabra, la mantengas ante tus ojos y la guardes en tu corazón. Si estás constantemente llenando tu corazón de la Palabra de Dios, y a la misma vez cuidando todo lo que sale por tus labios; tu corazón será un semillero de donde solamente saldrá la fe de Dios que puede mover montañas, y darte la victoria para destruir todos los desafíos que llegan a tu vida.

El Apóstol Pablo nos dijo: *"Porque con el corazón se cree..., pero con la boca se confiesa...."* (Romanos 10:11). Fíjate bien en el orden del proceso de fe, primero se cree y después se confiesa. Si en tu corazón hay amargura, duda, incredulidad, incertidumbre y mundanalidad; aunque confieses las promesas de Dios, no sucederá nada. Limpia entonces el canal, para que con la fe de Dios puedas conquistar todos los desafíos que vengan a tu vida.

¿Quienes son los que pueden vivir en las alturas con Dios y desde allí derrotar a todos sus enemigos? David nos comparte el secreto: *"El limpio de manos y* ***puro de corazón****, el que no ha elevado su alma a cosas vanas ni jurado con engaño"* (Salmo 24:4). Estos son los que pueden enfrentarse a cualquier gigante y siempre salir invictos en la batalla de la vida. ¿Cómo te gustaría derrotar al desafío más grande de tu vida?

Capítulo 10
CÓMO CONQUISTAR TU GOLIAT

"Tú vienes a mí con espada y lanza y jabalina; mas yo vengo a ti en el nombre de Jehová de los ejércitos, el Dios de los escuadrones de Israel, a quien tú has provocado."

1 Samuel 17:45

La historia de David y Goliat es una de las historias más poderosas y significativas de la Biblia. A través de las edades esta historia ha sido usada como un ejemplo de la persona que se enfrenta a un desafío, y vence a pesar de que estaba en desventaja. También esta historia se ha tomado como el patrón para describir el enfrentamiento del creyente con Satanás. Un análisis cuidadoso de este relato bíblico te dará las llaves para confrontar cualquier desafío que esté amenazando tu vida e impidiendo tu progreso natural y espiritual.

La Biblia nos relata en el Capítulo 17 de 1 Samuel como los filisteos, que eran los enemigos tradicionales de Israel, juntaron sus ejércitos para venir en guerra contra Israel. También Saúl y los hombres de Israel se juntaron para enfrentar este desafío a la seguridad de su nación. Lo único que separaba a estos dos ejércitos enemigos era un valle. Si esto no fuera suficiente, los filisteos tenían un gigante de nombre Goliat, que era el paladín de su ejército. De acuerdo al relato bíblico Israel estaba en una gran desventaja porque no tenía en su ejército ningún hombre que pudiera aceptar el reto de Goliat.

La vida del creyente es una vida de constante guerra espiritual. En nuestro caminar por la vida nos encontraremos en infinidad de ocasiones en una situación semejante a la que estaba Saúl y su pueblo. Podemos hacer una de dos, rendirnos a los enemigos que vienen contra nosotros, o combatir con valor y fe hasta que conquistemos lo que desafía nuestra seguridad espiritual y física.

Entre ti y tu desafío hay un gran valle; el cual tarde que temprano tendrás que cruzar, si es que te quieres enfrentar a tu enemigo y establecer el hecho de que no serás un perdedor en la batalla de la vida. No te unas al número de los que han optado por no pelear por lo que legalmente les pertenece; y se han rendido al enemigo sin haber ni intentado vencer su desafío.

1 — No Dejes que la Apariencia te Confunda.

Una de las cosas que derrota a las personas en la batalla de la vida es el miedo que nos infunden la apariencia de las cosas que vienen contra nosotros. Cuando nos estamos enfrentando a los desafíos de la vida casi siempre se nos olvida que por fe andamos, no por vista. Goliat tenía una apariencia muy impresionante porque tenía una estatura como de ocho pies. No podemos negar que los desafíos son grandes, pero tenemos que admitir que el miedo que los mismos nos causan siempre nos hace verlos más grande de lo que son. Los diez espías del tiempo de

Moisés vieron tan grande a los gigantes de la tierra de Canaán, que ellos se vieron a sí mismos como langostas.

Una de las características que describe a Satanás es que él es un impresionista. Paréceme ver a Goliat caminando de un lado para otro luciendo sus sendas vestiduras de guerra, y aterrorizando a todo un ejército con sus extraordinarias armas de guerra. No había hasta ahora ningún militar en Israel que se atreviera enfrentarse a un hombre que *el asta de su lanza era como un rodillo de telar, y tenía el hierro de su lanza seiscientos siclos de hierro* (1 Samuel 17:7).

Nunca sub-estimemos que nuestros desafíos son reales, y vienen bien preparados para hacernos la guerra. El propósito de este libro no es ignorar el carácter de los desafíos, sino motivarte a la fe y a la acción con la ayuda de Jehová Dios de los ejércitos.

Algo que nunca debes olvidar es que tus desafíos tienen una voz muy alta. Siempre he dicho que Satanás tiene una boca muy grande, y depende en gran medida de su habilidad para amedrentar por medio de los dardos encendidos (palabras negativas y amenazantes) que envía contra ti. Goliat, que es el prototipo de tu desafío, desafiaba a los hijos de Israel de esta manera: *"¿Para qué os habéis puesto en orden de batalla?"*

Con esta pregunta Goliat se burlaba de Israel y les daba a entender que ellos no tenían un hombre capaz de enfrentarse a su gran estatura y a sus poderosas y sendas armas de guerra. Satanás siempre se burla de tus armas y quiere bajarte tu auto-estima para evitar que tú lo confrontes. Goliat logró esto con Israel. *Oyendo Saúl y todo Israel estas palabras del filisteo, se turbaron y tuvieron gran temor* (1 Samuel 17:11).

Mi experiencia con los desafíos no ha sido diferente a la experiencia del pueblo de Israel. Cada vez que algo viene para desafiar mi salud, mis finanzas, mi familia y aun mi ministerio; la voz del enemigo es muy estridente y muy insistente. Al igual que Goliat, las palabras del enemigo vienen para causar turbación e inspirar temor hacia las circunstancias que me enfrento. Hay un verso en esta historia que describe muy bien lo insistente y perseverante que es Satanás en su lucha contra el hombre y la mujer de fe.

La Biblia dice: *Venía, pues, aquel filisteo por la mañana y por la tarde, y así lo hizo durante cuarenta días* (1 Samuel 17:16). No es coincidencia que este enemigo de Israel venía dos veces al día, por la mañana para turbarlos todo el día, y por la tarde para llenarlos de miedo para que no pudieran dormir tranquilos por la noche. ¡Cuántas personas viven una vida de turbación y temor!, porque en la mañana lo primero que oyen es la voz del enemigo, y a la noche antes de ir a su reposo Satanás se encarga de recordarles que en su vida hay un desafío que es más grande que ellos, y que por cierto nunca podrán conquistar.

2 — Reconoce que el Enemigo Está Desafiando a Dios.

Hasta este momento nadie en Israel se había atrevido ofrecerse como voluntario para enfrentarse a Goliat, hasta que un joven llamado David llegó al campamento para traerle comida a sus hermanos. Mientras David hablaba con sus hermanos, Goliat salió de entre las filas de los filisteos y habló las mismas palabras. Hay una gran diferencia entre la forma cómo diferentes personas reaccionan ante los desafíos. *Y todos los varones de Israel que veían aquel hombre huían de su presencia, y tenían gran temor* (1 Samuel 17:24).

La reacción que siempre tiene las de ganar es la que se atreve confrontar al enemigo. *Entonces habló David a los que estaban junto a él, diciendo: ¿Qué harán al hombre que venciere a este filisteo, y quitare el oprobio de Israel? Porque*

¿quién es este filisteo incircunciso, para que provoque a los escuadrones del Dios viviente? (1 Samuel 17:26)

David operó en uno de los principios más importantes para poder un creyente enfrentarse a cualquier desafío en la vida. David entendió que era posible derrotar a este gigante porque él estaba en pacto con Dios y Goliat no. Al David llamarle incircunciso a Goliat, David estaba afirmando que este hombre no tenía un pacto con Dios que asegurara su victoria. Por el contrario, David y el pueblo de Israel estaban unidos a Jehová Dios por medio del pacto. La señal externa de ese pacto que Dios hizo con Abraham era la circuncisión. Para David era un oprobio y una vergüenza que la gente del pacto estuviera amedrentada y temerosa, mientras un incircunciso bocón se paseaba orgulloso, creyendo que nadie sería un contrincante para él.

Otro secreto que debemos aprender de David, es que la amenaza del enemigo no es esencialmente en contra del hombre o la mujer de Dios; la riña y la venganza del enemigo es contra el Dios del hombre. El enemigo sabe que tú eres un siervo de Dios y que Dios tiene pacto contigo. Dios ha invertido mucho en cada de uno de sus hijos para que estos sean más que vencedores en todas las cosas. En el caso de David la provocación de Goliat era a los escuadrones de Israel; en el caso del creyente la provocación es contra la nueva creación en Cristo Jesús. No olvides que ahora, por razón del sacrificio de Cristo, cada creyente está unido a Dios por el nuevo pacto en la sangre de su Hijo Jesús.

Dios está comprometido con su nueva creación. Por eso El ha hecho una completa provisión para que siempre tengamos la victoria por medio de nuestro Señor Jesucristo (1 Corintios 15:57). Como el enemigo entiende esto, muchas veces mejor que nosotros, su propósito es poner en vergüenza a Dios. La ventaja que tú tienes, es que no importa cuan grande y feroz sea tu desafío, puedes tener la seguridad de que Dios peleará por ti. Recuerda que en tu batalla de fe, tú solo eres el instrumento de guerra para Dios, pero Dios es el que te lleva siempre de triunfo en triunfo en Cristo Jesús (2 Corintios 2:14). Si esto es así, entonces no tenemos que turbarnos y atemorizarnos por razón de la apariencia del desafío que viene contra nosotros. Un hijo de Dios ha sido desafiado, y Dios solo está esperando que ese hijo del pacto asuma su lugar en Dios y corra al campo de batalla para derrotar al enemigo. ¡Aleluya! ¡Gloria a Dios!

3 — Debes Saber que Tú Puedes.

Nunca le prestes atención a la opinión publica cuando has decidido que no vas a quedarte al otro lado del valle sin enfrentar tu enemigo. David tuvo que hacer una decisión de no dejar que aun sus familiares lo desanimaran. Sus hermanos lo acusaron de soberbio y malo, por el solo hecho que David estaba haciendo algunas preguntas acerca de este desafío al pueblo de Israel.

Prepárate para ser mal interpretado aun por las personas que están más cerca de ti. Es una pena que aun muchos creyentes no saben cuál es la diferencia entre un hombre de fe y una persona arrogante y orgullosa. Algunos creen que hablar fe en medio de las circunstancias negativas es orgullo. La razón por la cual sus hermanos reaccionaron así, es porque la actitud de fe de David ponía al descubierto la falta de fe que había en ellos.

Si esto no fuera suficiente, aun la figura de mayor autoridad en Israel trató de desanimar a David cuando supo de la reacción de David ante la amenaza de Goliat: *"No podrás tú ir contra aquel filisteo, para pelear contra él; porque tú eres muchacho, y él un hombre de guerra desde su juventud"* (1 Samuel 17:33). El que está dando su opinión ahora no es otro que el general en jefe de Israel. Imagínate que es un experto quien te está aconsejando y te está diciendo que tú no puedes pelear contra tu desafío por la razón que sea. En el caso de David la razón que Saúl le dio es que él era muy joven, y Goliat era un hombre de guerra. En tu caso particular puede ser que te digan que no tienes experiencia, que eres un recién convertido, que no tienes habilidades, que no tienes finanzas, o que simplemente tu desafío es inconquistable.

¿Qué fue lo que salvó a David e impidió que el fuera desanimado por la opinión de los demás? David tenía una imagen interior de vencedor que era la fuente de inspiración de su fe. Podemos decir que David estaba acostumbrado a ganar, y no había nada externo que pudiera cambiar la imagen que él tenía de sí mismo. Muy adentro de las fibras de su subconsciente él sabía que él podía vencer en su encuentro con el gigante. Desde el punto de vista de David, Goliat no era diferente a ninguna de las fieras a las cuales él se enfrentaba en el campo cuando pastoreaba las ovejas de su padre (1 Samuel 17:34,35).

La razón por la cual David sabía que él podía con este gran desafío era porque anteriormente El se había enfrentado a desafíos más pequeños, y Dios siempre le había dado la victoria. *Añadió David: "Jehová, que me ha librado de las garras del león y de las garras del oso, El también me librará de la mano de este filisteo"* (1 Samuel 17:37). Aquí encontramos un principio que es muy importante para todo el que quiere conquistar sus desafíos. Nunca podrás conquistar tu Goliat, a menos que primero conquistes tu oso y tu león. Es la experiencia en las cosas pequeñas lo que te prepara para las cosas grandes. Así que comienza hoy venciendo los pequeños desafíos del diario vivir para que cuando venga tu Goliat, no corras de él turbado y amedrentado. ¡Así que atrévete a enfrentar tu desafío aunque no sepas cómo!

4 — No Uses las Armas de la Carne.

Otra lección que David aprendió en esta situación fue que el hombre de fe y el hombre espiritual tiene que aprender a rehusar los consejos de la gente carnal. La gente carnal siempre aconseja de acuerdo a su experiencia. Saúl era un hombre de guerra y era experto en el uso de las armas de guerra. ¿Por qué entonces no se enfrentó a Goliat? Después de no haber podido convencer a David de que no fuera a pelear con el gigante, trató de que David usara sus vestimentas y sus armas de guerra.

David que hasta ahora había sido un joven pastor de ovejas no sabía cómo usar estas cosas. Por eso David le dijo a Saúl: *"Yo no puedo andar con esto, porque nunca lo practiqué"*. David no insistió en aprender a usar lo que no había usado nunca. El hizo lo mismo que tú debes hacer con los consejos de gente carnal. *Y David echó de sí aquellas cosas.*

Hay una lección que podemos aprender de este incidente. Hombres espirituales fracasan cuando usan armas de la carne. Recuerda que lo que aparentemente funciona para otro, no es la perfecta voluntad de Dios para ti. Cada persona tiene que pelear su batalla espiritual de acuerdo a su propia revelación y de acuerdo a sus propias experiencias. Cometemos un grave error cuando tratamos de imitar lo que otro está haciendo para confrontar sus desafíos. He descubierto que cada vez que me he enfrentado a un gran desafío en mi vida o en mi ministerio, no han faltado las personas bien intencionadas que han tratado de darme consejos, que yo sé que no es lo que Dios quiere que yo haga para conquistar mi desafío.

Tengo una pregunta para ti. ¿Perteneces a la escuela de Saúl o a la de David? La escuela de Saúl está formada por aquellos que siempre están buscando métodos humanistas y carnales para confrontar los desafíos de la vida. La escuela de David está reservada para aquellos que saben que tienen un pacto con Dios, y saben que es solo por medio de las armas del Espíritu que pueden siempre salir más que victoriosos. Los que son miembros de esta escuela de fe, se niegan a ser influenciados por los consejos de los expertos, y solo confían en la revelación interior que tienen para ganar su victoria.

5 — Dios Tiene las Armas que Tú Necesitas.

La Biblia dice que las armas de nuestra milicia no son las armas convencionales de la carne. *Porque las armas de nuestra milicia no son carnales, sino poderosas en Dios para la destrucción de fortalezas* (2 Corintios 10:3). Sucede que las únicas armas que le funcionan a un hijo de Dios son las armas que Dios ha preparado para El. Esto explica muy bien porque a muchos cristianos no le funcionan los métodos que le funcionaban muy bien cuando no eran salvos. Bajo ninguna circunstancia Dios no quiere que ninguno de sus hijos se lleve la gloria cuando venza a su enemigo.

Lo que ha hecho que esta historia sea tan impresionante es el hecho de cómo un jovencito venció a un gigante hombre de guerra con solo cinco piedras en su mano. Permíteme usar mi santa imaginación; pero yo creo que Dios había preparado esas cinco piedras del arroyo y una de ellas tenía inscrito el nombre "Goliat". Dios tiene preparadas las armas que tú necesitas desde antes de la fundación del mundo. Tú no tienes que inventar un nuevo sistema para vencer tu desafío. Ve al arroyo de Dios y busca las piedras que Dios tiene para conquistar tu Goliat.

Muchas veces Dios usa las cosas más insignificantes para ganar sus batallas. Yo creo que esto es lo más que confunde al enemigo. Con una vara de pastor abrió el mar Rojo, con cuatro leprosos caminando confundió el campamento de los sirios, con un coro cantando derrotó las tres naciones que vinieron contra Josafat; y con una sola piedra quitó del medio el mayor desafío del pueblo de Israel durante el tiempo de Saúl.

Es cierto que Satanás en su necedad se burlará de las armas espirituales que ve en tu mano. Satanás quiere desestabilizarte emocional y espiritualmente para que tu dejes las armas del Espíritu y vuelvas a depender de las armas de la carne. El sabe que solo te puede vencer en la arena de la autosuficiencia. Dice la Biblia que *cuando el filisteo miró y vio a David, le tuvo en poco* (1 Samuel 17:42).

No te preocupes cuando la gente y Goliat se burlen de tu fe y de tu confianza en Dios. Goliat pronto va a cambiar de opinión cuando se de cuenta *que lo necio del mundo escogió Dios, para avergonzar a los sabios; y lo débil del mundo escogió Dios, para avergonzar a lo fuerte; y lo vil del mundo y lo menospreciado escogió Dios, y lo que no es, para deshacer lo que es, a fin de que nadie se jacte en su presencia* (1 Corintios 1:27-29).

6 — Tu Desafío Tiene un Sitio Vulnerable.

A primera vista todo desafío parece inconquistable y fuera de tu habilidad para salir más que victorioso. En esta historia aprendemos que Goliat había olvidado que había un lugar vulnerable por donde él sería derrotado. Solo Dios sabe donde está el punto débil de tu desafío. Por eso es que tienes que depender absolutamente de Dios. Es cierto que tú eres quien disparas la piedra, pero es Dios quien sabe donde tu fe tiene que golpear. Dispárele en fe al problema y Dios hará el resto. No dispares al aire, esperando que alguna piedra le pegue a tu enemigo. No es la cantidad de piedras que tú dispares lo que te dará la victoria; es la piedra que Dios dirige lo que conquistará tu Goliat.

El filisteo menospreció las armas y la apariencia de este joven, pero esto no detuvo a David en su lucha por vencer su desafío. Tú no tienes ni que acercarte a tu enemigo para vencerlo. Solo se requiere determinación y una piedra llena de fe que quedará clavada en la frente de tu enemigo, y hará que tu enemigo caiga sobre su rostro en tierra. *Así venció David al filisteo con honda y piedra; e hirió al filisteo y lo mató, sin tener espada en su mano.* Tú no sabes cuál es la piedra de fe que matará tu gigante; puede ser la confesión de tu fe, puede ser la alabanza en medio de la adversidad, puede ser la oración de autoridad, o puede ser la mera mención del nombre y la sangre de Cristo.

7 — Ve en el Nombre de Jehová de los Ejércitos.

Una de las razones por las cuales yo creo que David tuvo esta contundente victoria es que David no vino al gigante pensando en su propia reputación, o porque quería impresionar a los que antes lo habían desanimado para que no se metiera en tan semejante lío. Es más, la confianza de David no estaba ni en su habilidad en el uso de la honda. El le dijo a Goliat: *"Tú vienes a mí con espada y lanza y jabalina; mas yo vengo a ti en el nombre de Jehová de los ejércitos, el Dios de los escuadrones de Israel, a quien tú has provocado"* (1 Samuel 17:45).

Si tú quieres vencer todos los desafíos de tu vida, no vengas nunca en la autoridad de tu propio nombre o en el poder de tu espiritualidad. David no vino en su propio nombre, sino en el Nombre de Jehová Dios de los ejércitos. Por eso podía hablar con palabras tan fuertes que parecían una declaración arrogante de un mocoso atrevido. Es cierto que David conocía el poder de la confesión positiva, pero él sabía que su confesión era válida y poderosa en la medida que estuviera basada en el poder del nombre de Jehová, y en buscar el honor y la gloria de Dios.

Hoy como creyentes podemos tener victoria sobre todos los desafíos de la vida porque tenemos el **NOMBRE** que es sobre todo nombre al cual se doblará toda rodilla de los que están en los cielos, de los que están en la tierra, y de los que están debajo de la tierra. A todo aquel que quiere derrotar a todo enemigo para la gloria de Dios, como hizo David, tendrá a su disposición el poder para usar el nombre de Jesús. Tú puedes venir con la autoridad del nombre de Jesús en contra de todo enemigo, con la seguridad que de que tú enemigo caerá por tierra, y Dios se llevará toda la gloria.

8 — Mantén una Confesión Poderosa y Atrevida.

La clave final de la victoria de David sobre Goliat fue que en ningún momento David permitió que ninguna palabra de duda o incertidumbre saliera de sus labios. Como David tenía una imagen viva de su victoria sobre Goliat y había guardado su corazón, aun de no tener resentimiento contra sus hermanos que lo acusaron de orgullo y maldad; tenía la autoridad para usar sus palabras para derrotar al enemigo. Es de notar que David ni le contestó los insultos al gigante, cuando éste lo despreció, sino que en todo momento él se mantuvo confesando lo que él sabía que Dios haría por medio de él.

Cuando estamos operando en la autoridad del nombre de Jesús no podemos ser tímidos ni diplomáticos en la confesión de nuestra victoria sobre el enemigo. La verdadera confesión de fe siempre visualiza el producto terminado. Por eso es que siempre he dicho que si primero no hay victoria adentro, nunca la habrá afuera.

En ningún momento David se sintió como la víctima de la situación, o que estaba en desventaja con el gigante, por la diferencia en estatura o en armamentos. Cuando David le disparó la piedra a Goliat, lo que él hizo fue simplemente actuar lo que ya él tenía en su espíritu. Me atrevo asegurar que cuando David está caminado hacia este atrevido y engreído enemigo, David venía visualizando en su mente cómo él había destrozado el león y el oso que venían a arrebatarle una de sus ovejitas. Posiblemente venía repitiendo las palabras que anteriormente le había dicho a Saúl: **"Y tú Goliat, también serás como uno de ellos".**

Ahora que estaba parado frente al león más grande que quería exterminar las ovejas del Señor Jehová; David confiesa con mucha claridad y seguridad: *"Jehová te entregará hoy en mi mano, y yo te venceré, y te cortaré la cabeza, y daré hoy tu cuerpo a las aves del cielo y a las bestias de la tierra, y toda la tierra sabrá que hay Dios en Israel. Y sabrá toda esta congregación que Jehová no salva con espada y con lanza; porque de Jehová es la batalla, y El os entregará en nuestras manos"* (1 Samuel 17:46,47).

Toma nota del nivel de fe de David. No solamente él estaba visualizando y confesando la derrota de Goliat, sino que estaba seguro que todos los demás filisteos también serían entregados en las manos del pueblo de Israel. El verdadero hombre de fe, cuando se enfrenta a cualquier desafío, nunca negocia una victoria a la mitad; su fe es una victoria total, absoluta y completa. ¡Gloria a Dios!

Amigo y hermano, esa es la actitud que siempre gana sobre todos los desafíos de la vida. Atrévete hoy mismo a decirle a cualquiera que sea tu desafío:

"Desafío, Jehová te entregará hoy en mi mano, y yo te venceré, y te cortaré la cabeza. No tengo miedo a confrontarte aunque seas más grande que yo, porque yo sé que mayor es Aquel que está en mí que el que está en el mundo. Tus lucientes y sendas armas no me amedrentan, porque ninguna arma forjada contra mí prosperará. Puedes dispararme todas las palabras de intimidación que quieras, y eso no va a impedir que te venza, porque en el nombre de Jesús yo condeno toda lengua que se levante contra mí en juicio. No solo te voy a tirar por tierra, te voy a cortar la cabeza, y toda la tierra sabrá que de Jehová es la batalla." **¡A Dios sea toda la gloria! Amén.**

Desafía tu desafió en el nombre de Jesús

Otros Libros por el Autor

Lecciones para Crecimiento y Madurez
La Escalera del Exito
Los Secretos de la Unción
La Battalla por tu Mente
Confrontando a Satanás
Los Riquezas de su Gracia
Atrévete a Cambiar
El Ministro Aprobado

Para una lista completa de libros y cassettes por el
Pastor Nahum Rosario
o para invitaciones para ministrar la palabra,
favor de escribir o llamar:

Centro Christiano de Avivamiento Maranatha
4301 W. Diversey Avenue
Chicago, IL 60639
(773) 384-7717
www.maranathachicago.com